무명의 그리스도인 시리즈 1

무릎으로 사는
그리스도인

무명의 그리스도인 지음 ◆ 이진희 옮김

생명의말씀사

THE KNEELING CHRISTIAN

by Unknown Christian

소개의 말

1937년, 처음으로 존더반 출판사를 대표하여 서해안 지역으로 판매 출장을 다니던 중 워싱턴 시애틀의 어느 서적상을 방문했었다.

그와 대화를 나누는 가운데 영국에서 저술, 출판된 좋은 책한 권이 있다는 말을 들었다. 이렇게 해서 나는 처음으로 어느 무명의 그리스도인이 저술한 **무릎으로 사는 그리스도인**(*The Kneeling Christian*)이라는 책을 알게 되었다. 그는 이 책의 내용이 둘도 없는 축복이었다고 극구 칭찬했다.

기도를 주제로 한 글이라면 무척 흥미를 느끼는 나였기 때문에 나는 이 책을 단숨에 읽었다. 저자는 간결한 문체를 썼으며, 여러 가지 진리를 간단 명료하게 진술하려고 이해하기 쉬운 예화를 곁들이고 있음을 발견할 수 있었다.

그 후 오래지 않아 존더반 출판사는 미국 독자들에게 **무릎으로 사는 그리스도인**이라는 이 값진 책자를 배포하려고 영국 출판사와 계약을 하게 되었다. 당시 영국에서는 제 2 차 세계 대전으로 종이와 인쇄 장비가 핍절하여 영국의 그 출판사도 이렇게 값지고 귀중한 책을 절판할 수밖에 없었다.

그래서 우리는 이 책의 인쇄와 출판권을 인수하기로 하였다. 1945년 이후 미국에서는 양장본 및 반양장본을 포함하여 24쇄 (1945년 이전에는 출판 회수의 기록이 없음)에 걸쳐서 무려 100,000부 이상 출판하였다.

이렇게 유익한 기도의 고전을 펴내게 됨을 영광으로 생각하며, 이 책이 나와 수천 독자에게 축복이었던 것처럼 모든 독자에게 한결같은 축복이 되기를 빌어 마지않는다.

존더반
(P. J. Zondervan)

저자 서문

중국을 여행하던 사람이 성대한 축제일을 맞은 어느 이교 사원을 방문하였다. 거기에는 많은 사람들이 사당 안에 세운 가증스러운 신상을 숭배하고 있었다. 그는 열광적인 신도들의 대부분이 기도문이 쓰여 있거나 인쇄된 종이 쪽지를 가지고 있는 것에 눈길이 끌렸다. 그들은 이 주문(呪文)들을 조그만 진흙 덩이로 싸서 신상 앞에 던졌다.

그는 이런 괴이한 행동을 하는 이유를 물어보았다. 만일 작은 진흙덩이가 신상에 찰싹 달라붙으면 그 기도가 반드시 응답을 받고 땅에 떨어지면 신에게 거절당한다는 것이었다.

우리는 기도의 응답 여부를 테스트하는 이 특이한 방법을 웃어 넘길지도 모른다. 그러나 살아 계신 하나님께 기도하는 절대 다수의 그리스도인들이 진정으로 역사하는 기도에 대해 거의 무지하다는 것은 사실이 아닌가? 기도야말로 하나님의 보고(寶庫)의 문을 여는 열쇠인데도 말이다.

영적 생활의 참다운 성장―이를테면 시험에서의 승리, 역경과 위험 속에서의 자신감과 평안함, 엄청난 실망과 손실 앞에서의 영혼의 평온함 그리고 끊임없이 하나님과 교제할 수 있는 신앙 생활—은 바로 은밀한 기도의 실천에 달려 있다고 해도 과언은 아닐 것이다.

이 책을 청탁받고 많은 주저 끝에 쓰게 되었다. 그리고 지금도 많은 기도 중에 발행되고 있음을 밝혀 둔다. "항상 기도하고 낙망치 말아야 할 것"을 말씀하신 분이 "우리에게 기도하는 법을 가르쳐 주시기"를 바라는 마음 간절하다.

목 차

제 1 장

하나님이 가장 원하시는 것

"하나님께서 이상히 여기셨다." 매우 충격적인 말이다. 이 대담한 생각은 확실히 진지한 모든 그리스도인들의 관심을 끌기에 충분하다. 이상히 여기시는 하나님! 만일 우리가 하나님께서 "이상히 여기시는 이유"를 알고 있다면 어찌 놀라지 않겠는가! 그러나 우리는 이 사실을 사소한 것으로 치부해 버리고 있다. 그렇지만 좀더 신중히 고려해 본다면, 이것이 주 예수 그리스도를 믿는 모든 자에게 있어서 가장 중대한 문제 중의 하나임을 알게 될 것이다. 우리의 영적 안녕에 있어서 그토록 중대하고 결정적인 것은 없다.

하나님께서 "중재자 없음을 이상히 여기셨다"(사 59 : 16). 그러나 이 사실은 "은혜와 진리가 충만"하신 주 예수 그리스도께서 오시기 오래전에 있었던 일이다. 즉 성령을 물 붓듯 부어 주시기 전, 은혜와 능력이 충만하며, "우리의 연약함을 도우시며", 우리 안에서 "우리를 위하여 친히 간구하시는"(롬 8 : 26)

성령을 부어 주시기 전에 있었던 일이다. 그렇다. 실로 주님께서 기도에 관한 놀라운 약속들을 주시기 전, 사람들이 기도가 무엇인지 알기 전, 그들의 눈에 타인의 속죄를 위한 간구보다 자신들의 속죄를 위해 드리는 희생 제사가 더욱 중요하게 보이던 시대에 있었던 일이다.

그러니 오늘날 하나님은 얼마나 이상히 여기실까! 우리 중에 역사하는 기도를 아는 자가 너무나도 적기 때문이다. 저마다 기도의 능력을 믿는다고 고백하고 있지만 진실로 기도의 능력을 믿는 사람이 얼마나 될까?

이제 본론으로 들어가기 전 독자 여러분들에게 간절히 당부하는 바는 이 책에 무엇을 써 놓았는지를 읽으려고 서두르지 말라는 것이다. 독자들은 여기 기록된 내용을 받아들이는 방법에 극히 많은 영향을 받게 된다. 이는 만사가 기도에 좌우되기 때문이다.

어찌하여 수많은 그리스도인들이 그토록 자주 패배하는가? 기도를 너무 적게 하기 때문이다. 어찌하여 수많은 교회 일꾼들이 그토록 자주 용기를 잃고 낙심하는가? 기도를 너무 적게 하기 때문이다.

어찌하여 대부분의 사람들이 그들의 사역을 통해 "어둠에서 빛으로" 이끌어내는 영혼이 그토록 적은가? 기도를 너무 적게 하기 때문이다.

어찌하여 우리 교회는 하나님을 향한 뜨거운 불이 타오르지 않는가? 참된 기도가 너무 적기 때문이다.

주 예수님은 오늘도 여전히 능력이 무한하신 분이시다. 주 예수님은 여전히 인간들의 구원을 갈망하고 계신다. 그의 팔이

짧아 구원하지 못하시는 것이 아니라, 우리가 더 많이 더 진실하게 기도하지 않기 때문에 그의 팔을 내밀 수가 없는 것이다.

우리가 분명히 알아야 할 것은 모든 실패의 원인은 은밀한 기도를 하지 못하는 데 있다는 사실이다.

하나님께서 이사야의 시대에 이상히 여기셨다면, 주님께서 육체로 계시던 때에 "이상히 여기신 것"을 보고도 놀랄 필요가 없다. 주님은 어떤 이들의 믿지 않음을 이상히 여기셨다. 실제로 그들의 불신앙은 예수님으로 하여금 그 동리에서 아무런 권능도 행치 못하게 하였다(막 6 : 5-6).

여기서 우리는 그와 같은 불신앙의 죄를 지닌 사람들은 예수님으로부터 그 분을 기대하거나 신뢰할 만한 아무런 아름다운 것도 발견하지 못했다는 사실을 기억해야 한다. 그러면 오늘날 주님께서는 얼마나 이상히 여기실까? 주께서는 우리 가운데서 진정으로 주를 사랑하고 공경하는 사람을 찾으시나 "스스로 분발하여 주를 붙잡는 자가 없는" 것이 오늘의 형편이다(사 64 : 7).

사실 기도하지 않는 그리스도인만큼 놀라게 하는 것이 또 어디 있겠는가? 오늘날은 하나님께서 그의 영, 곧 간구의 영(靈)을 모든 육체에 부어 주신다고 약속하신 "말세"(末世)임을 알리는 증거들이 수없이 많이 있다(욜 2 : 28). 그럼에도 불구하고 대부분의 그리스도인들은 간구의 의미를 거의 모르고 있다. 뿐만 아니라 수많은 교회들은 기도회를 열지 않을 뿐 아니라 때로는 뻔뻔스럽게도 기도회를 비난하며 심지어는 조소하기까지 한다.

영국 국교회는 예배와 기도의 중요성을 인식하고 목사로 하여금 매일 아침과 저녁에 교회에서 기도문을 낭독하도록 하고 있다. 그러나 이것이 시행되어도 교회는 종종 텅 비어 있지 않은가? 게다가 주마간산식으로 기도를 해치움으로 오히려 진정한 예배를 손상시키고 있지 않은가? "기도서" 역시 의미가 없고 불확실하기 그지없다.

옛날처럼 주간 기도회를 열고 있는 교회들은 어떤가? 주간(weekly) 기도회라는 말보다는 약한(weakly) 기도회라는 말이 오히려 더 적절한 말이 아닐는지? 스펄전(C. H. Spurgeon)은 항상 최소한 1,000명 내지 1,200명 이상이 참석하는 기도회를 매주 월요일 밤 인도했다고 기쁘게 말했다.

형제들이여, 기도의 능력을 의심한 적은 없는가? 혹시 주간 기도회를 유지하고 있다 해도 교우 중에 절대 다수가 참석하지 않고 있지는 않은가? 아니, 아예 참석할 의향조차 없지 않은가? 왜 그럴까? 누구의 잘못인가?

"기도회인데 뭐"라고 하는 말을 얼마나 자주 듣는가? 이런 글을 읽는 사람들 가운데 진실로 기도회를 반가워하는 사람이 과연 몇 명이나 될까? 기도회는 기쁨인가, 단지 의무일 뿐인가? 이렇게 많은 질문을 퍼붓고 오늘날 우리 교회에 나타나는 약점과 통탄할 결함들을 지적하는 것을 용서하기 바란다. 비판하려고 하는 것은 아니다. 정죄하려는 것은 더욱 아니다. 아무도 그럴 수는 없는 일이다. 우리의 열망은, 전에 없이 그리스도인들이 분발하여 하나님을 "붙잡는" 것이다. 우리는 그것을 격려하고 북돋우고 고양하려는 것이다.

우리가 무릎을 꿇고 있을 때만큼 높을 때는 없다. 비판이라고? 누가 감히 누구를 비판할 수 있겠는가? 우리가 지난날을 돌아보고 자기의 생활 속에 기도가 얼마나 메말라 있었던가를 생각한다면, 타인을 비판하는 말이 우리의 입술에서 연기처럼 사라져 버릴 것이다.

그러나 이제 개인과 교회에게 기도를 명령하는 나팔 소리를 울릴 때가 온 줄을 확신한다.

지금 감히 기도의 필요성에 관한 문제를 다룰 수가 있겠는가? 기도는 신앙생활의 가장 본질적인 부분인데 의문을 단다는 것은 어리석은 일이다. 그럼에도 불구하고 나는 감히 독자들에게 이 문제를 직시해 줄 것을 엄중히 요구하는 바이다. 진실로 기도는 능력이라고 믿는가? 기도는 지상에서 최대의 능력이라고 확신하는가? 기도가 "세상을 움직이는 하나님의 손"을 움직인다고 믿는가?

나는 정말 하나님의 기도 명령에 관심이 있는가? 기도에 관한 하나님의 약속들은 여전히 효력이 있는가? 이런 일련의 질문을 읽으면서 우리는 "예— 예— 예—"라고 중얼거린다. 이 중의 어느 질문에 대해서도 감히 "아니오"라고 말하지 못한다. 그런데도……

주님께서는 불필요하거나 내가 선택할 수 있는 명령을 주신 일이 없다는 사실을 생각해 본 적이 있는가? 주님께서는 자신이 성취하실 수 없거나 성취하시지 않을 약속을 하신 적이 없음을 분명히 믿는가? 분명한 행동을 요구하신 주님의 3대 명령은 다음과 같다.

기도하라!
행하라!
가라!

우리는 주님께 순종하고 있는가? 오늘날 설교자의 입에서 "행하라!" 하는 주님의 명령이 과연 몇 번이나 반복되고 있는가? 사람들은 이것이 주님의 유일한 명령이라고 생각할지 모른다. "기도하라!", "가라!" 하는 명령을 거의 생각하지 않는다. 그러나 "기도하라!"는 명령에 순종하지 않는다면 "행하라!", 또는 "가라!" 하는 말은 거의 또는 전혀 무용한 말이 되고 만다.

사실 영적 생활과 그리스도인의 사역에 있어서 성공의 희귀함과 실패들은 모두 기도의 결핍이나 부족에 기인한다는 것을 쉽게 알 수 있다. 올바르게 기도하지 않으면 올바르게 생활할 수도 없거니와 올바르게 봉사할 수도 없다. 얼핏 보기에는 엄청나게 과장된 표현 같으나, 성경에 비추어 생각하면 생각할수록 이 말이 진실함을 더욱 확신할 수 있다.

이제부터는 성경이 이 신비롭고 놀라운 주제에 대하여 말하고 있는 바를 읽을 때마다 마치 이전에는 전혀 들어보지 못했던 것같이 주님의 약속들을 읽으려고 애써야 할 것이다. 그러면 그 결과가 어떻게 되겠는가?

약 20년 전 필자가 신학 대학에서 공부하고 있을 때이다. 어느 이른 아침 동료 학생 하나가―지금은 영국 최고의 선교사들 중의 한 사람이다―성경을 손에 펼쳐 들고 방으로 뛰어 들어왔다. 그는 비록 성직을 준비하는 가운데 있었지만 당시 그는 그리스도께로 회심한 초신자에 불과했다.

그는 "이런 일들에 대해 아무런 관심도 없이" 대학에 진학했었다. 그리스도께서 그를 찾을 무렵, 그는 인기있고 명석하고 운동을 잘하여 친구들 가운데 최고의 위치에 있었다. 그는 주 예수님을 개인의 구주로 영접하고 예수 그리스도의 열렬한 추종자가 되었다. 그에게 성경은 비교적 새로운 책이었고 그래서 그는 끊임없이 "발견하는 나날"을 보냈다. 내 방의 정적을 깨뜨리고 침입했던 그날, 그는 흥분의 도가니에서 희열과 경악이 엇갈리는 얼굴로 이렇게 외쳤다.

"자넨 이걸 믿어? 이게 정말 사실이야?"

"뭘 믿느냐고?" 나는 놀라움을 가누며 펼쳐진 성경을 쳐다보면서 물어보았다.

"이럴 수가……."

그는 격한 어조로 마태복음 21 : 21-22을 읽었다. "……만일 너희가 믿음이 있고 의심치 아니하면……너희가 기도할 때에 무엇이든지 믿고 구하는 것은 다 받으리라."

"자넨 이걸 믿는가? 이게 진짜란 말인가?"

"그럼, 물론 진짜지. 믿고 말고." 나는 그의 흥분에 오히려 더 놀라면서 대답했다. 그러나 나의 마음 가운데는 온갖 생각이 번뜩이고 있었다.

"정말 놀라운 약속인데……", 그는 계속 말했다. "이건 절대 무한정이 아닌가? 그럼 왜 우리는 좀더 기도하려고 하지 않는가?" 그는 심각하게 생각하는 나를 두고 나가 버렸다.

"나는 이 구절을 그렇게 생각해 본 적이 결코 없었다. 주 예수 그리스도의 열렬한 초년 추종자가 나가고 문이 닫히자 나는 전에 보지 못했던 나의 구주와 그의 사랑과 그의 능력을 보게 되었다. 기도 생활에 대한 비전, 즉 오직 두 가지-믿음과 기도-에 의해 좌우되는 "무한한" 능력을 보게 되었던 것이다.

그 순간 나는 전율했다. 나는 무릎을 꿇었다. 주님 앞에 엎드려졌을 때 내 머리 속에서 쏟아지는 생각들, 내 영혼에 홍수져

오는 희망과 소망들이 감당할 수 없을 정도였다. 하나님께서 내게 특별한 방법으로 말씀하셨다. 이는 기도에 대한 엄숙한 부르심이었다. 그러나 부끄럽게도 나는 그 부르심에 주의를 기울이지 않았다.

내가 어디에서 실패했던가? 사실 나는 전보다 조금 더 많이 기도하게 되었지만, 별 일이 일어나지 않은 것 같았다. 왜 그럴까? 구주께서 성공적인 기도를 하는 사람들의 내적 생활에 요구하시는 높은 수준을 알지 못했기 때문이 아닌가? 아니면 고린도전서 13장에 아름답게 묘사된 "완전한 사랑"의 표준을 나의 생활이 충족시키지 못했기 때문이 아닌가?

어쨌든 "기도하겠다"는 선한 결심을 행동으로 옮기는 것만이 기도가 아니기 때문이다. 올바른 기도를 하려면 먼저 통회하고 "내 속에 정한 마음을 창조하소서"(시 51 : 10)라고 다윗과 같이 부르짖어야 한다. 사랑의 사도를 통해 영감으로 주어진 다음 말씀이 오늘날도 그때와 마찬가지로 강조되어야 한다.

"사랑하는 자들아 만일 우리 마음이 우리를 책망할 것이 없으면 하나님 앞에서 담대함을 얻고 무엇이든지 구하는 바를 그에게 받나니"(요일 3 : 21 - 22).

"사실이고 말고. 난 그걸 믿어."

그렇다, 진실로 무한한 약속이다. 하지만 우리는 그것을 얼마나 실현하고 있는가? 또 그리스도께 요구하는 것이 얼마나 되는가? 주님은 우리들의 불신앙을 "기이히 여기신다." 그러나 우리가 처음처럼 복음서를 읽을 수만 있다면 얼마나 놀라운 책으로 보여질까? 우리가 "기이하고" "이상히" 여기지 않을까?

나는 오늘 이 엄숙한 부르심을 독자 여러분에게 넘겨 주고자 한다. 여기에 관심을 기울여 유익을 얻겠는가? 아니면 귀를 막고 기도하지 않는 삶을 계속하겠는가?

그리스도인 형제들이여, 깨어라! 마귀가 우리의 눈을 멀게 하고 있다. 마귀는 우리로 하여금 기도의 문제를 보지 못하도록 안간힘을 쓰고 있다.

이 글은 특별히 청탁을 받아 쓰고 있는데 청탁을 받은 지 이미 수개월이 지났다. 글을 쓰려고 시도할 때마다 번번이 실패로 돌아가고 지금도 야릇한 저항감을 느끼고 있다. 어딘가 이상한 힘이 내 손을 붙들어 매는 듯하다. 기도만큼 마귀가 두려워하는 것이 없다는 사실을 알고 있는가? 마귀의 최대 관심사는 우리를 기도하지 못하게 하는 것이다.

마귀는 우리가 기도하지 않는다는 조건하에 "우리들이 일에 몰두하도록" 도와준다. 마귀는 우리의 기도가 결핍되어 있는 한, 우리가 아무리 열심 있고, 성실한 성경 연구가라 해도 두려워하지 않는다. 누군가가 "사탄은 우리들의 수고를 비웃고 우리들의 지혜를 조롱한다. 그러나 우리가 기도하면 두려워 떤다"라고 지혜로운 말을 했다.

이와 같은 말들은 모두 우리들에게 이미 익숙하다. 그러나 우리가 실제로 기도하는가? 만일 그렇지 않다면, 성공할 가능성이 눈앞에 분명히 보인다 하더라도, 반드시 실패가 우리의 발걸음을 그림자처럼 따라다닐 것이다.

우리가 하나님이나 사람을 위해 할 수 있는 가장 큰 일은 기도하는 일임을 잊지 말자! 그 이유는 기도로 이룰 수 있는 일이 우리들의 노력으로 이룰 수 있는 일보다 훨씬 많기 때문이다.

기도는 전능하다. 기도는 하나님께서 하실 수 있는 일이라면 무엇이든지 할 수 있다. 우리가 기도할 때 하나님께서 일을 하신다. 봉사에서 얻는 모든 열매는 기도의 결과이다. 다시 말하면 모든 일의 결과는 사역자 자신의 기도나 그를 위해 거룩한 손을 들어 기도하는 사람들의 기도의 소산이다.

우리는 모두 기도하는 방법을 알고 있다. 그러나 우리 중에도 제자들이 "주여, 우리에게 기도하는 법을 가르쳐 주옵소서"라고 했듯이 부르짖어야 할 사람이 많이 있다.

오 주여,
길이요 진리요 생명이신
당신을 의지하여 하나님께 나아갑니다.
당신이 친히 걸으신 기도의 길로.
주여,
우리에게 기도를 가르치소서.

제 2 장

거짓말 같은 약속들

우리가 그리스도와 함께 영광 가운데 설 때 지나간 삶을 회고한다면, 그 삶의 가장 부끄러운 부분은 기도 없는 모습일 것이다. 우리는 진정한 중보가 너무나 없는 것에 놀라 거의 정신을 잃게 될 것이다. 그 때에는 바로 우리가 "이상히 여길" 것이다.

모든 기도 중 가장 놀라운 기도를 하시기 직전 우리 주님께서는 그의 사랑하는 제자들에게 마지막으로 강론하시면서, 자신이 가진 왕의 황금홀을 몇 번이고 주장하시면서 이르시기를 "너희가 무엇을 구하든지 얻을 것이며 나의 온 나라에서도 이루어지리라"고 하셨다.

우리는 이것을 믿는가? 성경을 믿는다면 믿어야 할 것이다. 이 말씀을 단지 주님의 약속 중의 하나로 여기며 고요하고 신중하게 반복하며 숙독하기만 할 것인가? 만일 이전에 이것을 읽어 본 적이 전혀 없다면 이 약속들이 너무나 거짓말 같기 때문에 놀라 두 눈이 번쩍 뜨일 것이다. 만일 어떤 사람의 입술에서 이런 약속이 나왔다면 전혀 믿을 수 없을 것이다. 그러나 말씀하신 이는 천지의 주재이시다. 또 그의 생애에서 가장 엄숙한 순간에 하신 것이다. 그 약속은 바로 죽음과 수난 전야에 이루어졌다. 그 약속은 작별의 메시지였다. 이제 들어보자!

"내가 진실로 진실로 너희에게 이르노니 나를 믿는 자는 나의 하는 일을 저도 할 것이요 또한 이보다 큰 것도 하리니 이는 내가 아버지께로 감이니라 너희가 내 이름으로 무엇을 구하든지 내가 시행하리니 이는 아버지로 하여금 아들을 인하여 영광을 얻으시게 하려 함이라 내 이름으로 무엇이든지 내게 구하면 내가 시행하리라"(요 14 : 12-14).

이보다 더 확실하고 명백한 말씀이 어디 있겠는가? 어떤 약속이 이보다 더 중요하고 더 크겠는가? 다른 누가 언제 어디서 이런 엄청난 것을 제시했던가?

제자들이 이 말씀에 얼마나 어리둥절했겠는가! 분명히 자기들의 귀를 믿을 수 없었을 것이다. 하지만 이 약속은 당신과 나에게도 주어진 것이다.

이 약속에 대해 제자들이나 우리들이 추호의 착오라도 할까 봐 주님은 잠시 후 거듭 말씀하셨다.

"너희가 내 안에 거하고 내 말이 너희 안에 거하면 무엇이든지 원하는 대로 구하라 그리하면 이루리라 너희가 과실을 많이 맺으면 내 아버지께서 영광을 받으실 것이요 너희가 내 제자가 되리라"(요 15 : 7-8).

이 말씀이 너무나 중대하고 중대하여 구세주께서는 세 차례나 거듭 언급했음에도 만족하지 못하셨다. 그는 제자들에게 "구하라"는 그의 명령에 복종할 것을 촉구하셨다. 사실 주님은 제자들에게 자기의 모든 명령을 지켜 복종하면 "나의 친구"라고 말씀하셨다(14절). 다시 한번 주님은 자신의 바람을 반복하셨다.

> "너희가 나를 택한 것이 아니요 내가 너희를 택하여 세웠나니 이는 너희로 가서 과실을 맺게 하고 또 너희 과실이 항상 있게 하여 내 이름으로 아버지께 무엇을 구하든지 다 받게 하려 함이니라"(요 15 : 16).

이 정도면, 주님께서는 제자들이 기도하기 원하시며 또 그들의 기도를 필요로 하시고 기도가 없이는 아무 일도 성취할 수 없다고 충분히 이야기하셨다고 생각된다. 그러나 놀랍게도 주님은 다시 그 주제를 꺼내어 똑같은 말씀을 반복하신다.

> "그 날에는 너희가 아무것도 내게 묻지 아니하리라—즉 '구하지 아니하리라'(난외주)—내가 진실로 진실로 너희에게 이르노니 너희가 무엇이든지 아버지께 구하는 것을 내 이름으로 주시리라 지금까지는 너희가 내 이름으로 아무것도 구하지 아니하였으나 구하라 그리하면 받으리니 너희 기쁨이 충만하리라"(요 16 : 23-24).

주님께서 이전에 어떤 약속이나 명령에 대해 이와 같이 강조하신 적이 없었다. 이 같은 진실로 기이한 약속을 여섯 번

이상이나 우리에게 말씀해 주셨다. 주님께서는 여섯 번이나 우리가 원하는 대로 무엇이든지 구하라는 명령을 반복하셨다. 이것은 인간에게 주어진 가장 위대하고 놀라운 약속이다. 그러나 거의 모든 사람들—그리스도인들—이 이것을 실제로 무시하고 있다. 그렇지 않은가?

이 엄청난 약속은 우리를 압도할 정도이다. 그러나 우리는 주님이 "우리의 온갖 구하는 것이나 생각하는 것에 더 넘치도록 능히 하실 이"임을 안다(엡 3 : 20).

그래서 복되신 우리 주님께서는 자신이 붙잡히시기 전, 결박되시기 전, 채찍을 맞으시기 전, 십자가 위에서 그 자애로운 입술이 닫히기 전에 최후의 권면을 하신다.

"그날에 너희가 내 이름으로 구할 것이요……아버지께서 친히 너희를 사랑하심이니라"(요 16 : 26—27).

우리는 종종 주님께서 십자가 위에서 하신 일곱 마디 말씀을 상고하는 데 장시간을 보내곤 한다. 당연히 그렇게 하는 것이 좋다. 그러나 주께서 일곱 번씩이나 기도하라 하신 말씀을 묵상하는 데 단 한 시간이라도 들여 본 적이 있는가?

오늘날 주님은 저 높은 위엄의 보좌에 앉아 그의 권능의 홀(笏)을 우리에게 내밀고 계신다. 우리가 그것을 만지며 그에게 우리의 소원을 아뢰야 하지 않겠는가? 주님은 우리에게 주님의 보화를 취하여 가라고 하신다. 주님은 "그 영광의 풍성을 따라" 우리에게 허용하심으로 우리의 "속사람을 능력으로 강건하게" 하시기를 갈망하신다(엡 3 : 16).

주님은 우리의 힘과 결실이 우리의 기도에 달려 있다고 말씀하신다. 그는 우리의 기쁨도 기도의 응답에 있다고 상기시키신다(요 16 : 24).

그러나 우리는 마귀가 우리로 하여금 기도를 소홀히 하도록 설득하는 것을 허용하고 있다. 마귀는 우리가 기도보다 스스로의 노력으로—하나님께의 탄원보다 인간과의 교류로—더 많은 일을 할 수 있다고 믿게 만든다. 주님께서 일곱 차례나 하신 권유—명령이자 약속—에 거의 관심을 두지 않는다는 것이 도저히 이해할 수 없는 일이다. 무릎을 많이 꿇지도 않고 어떻게 감히 그리스도를 위해 일을 할 수 있단 말인가?

최근 어느 열심 있는 그리스도인 "일꾼"—그는 주일학교 교사였다—이 내게 "나는 일생 동안 기도의 응답을 받아 본 적이 없습니다"라는 편지를 보냈다. 왜 그럴까? 하나님이 거짓말쟁이인가? 하나님은 믿을 수 없는 분이 아닌가? 하나님의 약속은 무용지물인가?

이 글을 읽는 독자들 가운데도 마음속으로 그 그리스도인 "일꾼"과 동일한 말을 되뇌이는 사람이 많이 있을 것이다. "우리가 하나님을 위해 많은 일을 하려면 하나님께 많이 구해야 한다. 우리는 기도하는 사람이 되지 않으면 안 된다"고 한 페이슨(Payson)의 말은 옳고 또 성경적이다.

만일 기도가 응답되지 않는다면—항상 응답되나 반드시 그대로 이루어지지는 않는다—그것은 전적으로 우리의 잘못이지 하나님의 잘못은 아니다. 하나님은 기도에 응답하시기를 기뻐하시는 분이시다. 하나님은 응답해 주시겠다는 약속을 우리에게 주셨다.

하나님의 포도원에서 같이 일하는 사람들이여, 우리가 구하고 또 많이 구하기를 우리 주인께서 원하시는 것은 확실한 사실이 아닌가? 그는 우리가 구함으로 하나님께 영광을 돌린다고 말씀하신다. 하나님의 뜻에 어긋나지 않는 한 기도하지 못할 것이 없다. 우리도 하나님의 뜻이 아닌 것은 원하지 않는다.

우리는 감히 주님의 말씀이 진실하지 못하다고 말할 수 없다. 그러나 웬일인지 그 말씀을 믿는 자는 거의 없다. 무엇이 우리를 붙잡는가? 무엇이 우리의 입술을 봉하는가? 무엇이 우리로 많은 기도를 못하게 하는가? 우리가 그의 사랑을 의심하는가? 결코 그렇지 않다! 그는 우리를 위해 그리고 우리에게 그의 목숨을 주셨다. 우리가 아버지의 사랑을 의심하는가? 아니다.

그리스도께서 제자들에게 기도를 촉구하시면서 "아버지께서 친히 너희를 사랑하심이니라"(요 16 : 27)고 말씀하셨다.

우리가 그의 능력을 의심하는가? 한 순간도 그렇지 않다. 그는 "하늘과 땅의 모든 권세를 내게 주셨으니 그러므로 너희는 가서……볼지어다 내가……너희와 항상 함께 있으리라"(마 28 : 18-20)고 말씀하시지 아니하였는가? 우리가 그의 지혜를 의심하는가? 그가 우리를 택하셨음을 불신하는가? 결코 그렇지 않다. 그런데도 그를 따른다는 사람들 가운데 기도를 귀중하게 생각하는 사람들이 극히 드물다. 물론 이 말을 부인하겠지만 행동은 말보다 웅변적이다.

우리는 하나님 시험하기를 두려워하는가? 하나님께서는 시험해 보라고 하셨다.

"만군의 여호와가 이르노라 너희의 온전한 십일조를 창고에 들여 나의 집에 양식이 있게 하고 그것으로 나를 시험하여 내가 하늘 문을 열고 너희에게 복을 쌓을 곳이 없도록 붓지 아니하나 보라"(말 3 : 10).

하나님께서 우리에게 약속하실 때마다 바울 사도가 말한 것처럼 "나는 하나님을 믿노라"(행 27 : 25)고 담대히 말하고, 그가 약속을 지키실 것을 믿자.

이제까지 그렇지 못했다면 오늘부터 기도의 사람이 되지 않겠는가? 좀더 때가 무르익기까지 미루지 말자. 하나님은 내가 기도하기 원하신다. 사랑하는 주님도 내가 기도하기 원하신다. 그는 기도를 필요로 하신다. 많은 것—사실 모든 것—이 기도에 의해 좌우된다. 어떻게 감히 기도를 하지 않을 수 있는가?

우리 각자가 무릎을 꿇고 이렇게 물어 보자. "이 세상에서 죄인들의 구원을 위해 아무도 나보다 더 뜨겁게, 더 자주 기도하지 않는다면 그들 중에 몇 사람이나 기도로 말미암아 하나님께 돌아오겠는가?"

하루에 10분이라도 기도를 하고 있는가? 기도가 그만큼 중요하다고 생각하고 있는가?

하루 10분 무릎 꿇고 기도하는 시간—그때 천국을 구하여 얻게 된다.

10분? 하나님을 붙잡는 데 들이는 시간으로는 너무 불충분한 것 같다(사 64 : 7).

또 우리의 생각은 이곳 저곳을 떠돌면서, 매일 동일한 내용을 무의미하게 되뇌이는 것이 우리의 기도가 아닌가?

오늘 아침 무릎 꿇고 반복한 기도에 하나님이 응답하신다면 우리가 그것을 알까? 응답받은 것을 우리가 알까? 우리가 무엇을 간구했는가를 기억하고 있는가? 하나님은 응답하신다.

이런 것에 대해 하나님은 이미 말씀을 하셨다. 그는 믿음으로 하는 참기도에는 항상 응답하신다.

이 점에 대해 성경이 말하는 바는 다음에 다루기로 하겠다. 우리는 지금 기도에 얼마나 많은 시간을 들이는가를 이야기하고 있다.

"얼마나 자주 기도하십니까?" 이것은 어느 그리스도인 여성에게 주어진 질문이었다.

"세 차례 합니다. 그리고는 온종일 합니다." 얼른 내뱉은 답변이었다.

그러나 이와 같은 사람이 얼마나 많을까? 기도는 나에게 의무에 불과한가, 아니면 특권, 즉 즐거움과 참기쁨에 없어서는 안 되는 것인가?

영광 중에 계신 그리스도와 "그 영광의 풍성함"을 새롭게 보자. 주님은 그것들을 모두 우리에게 맡겨 주셨다. 자신에게 주어진 하늘과 땅의 모든 권세도 주셨다. 그리고 세상과 세상의 모든 필요를 새로이 보자(세상이 이때처럼 곤핍한 적이 없었다).

만일 우리 자신의 필요를 안다면, 우리 가정과 사랑하는 자들, 우리 목사와 교회, 우리 사회와 국가 그리고 이교도와 이슬람 세계의 필요를 안다면, 어찌 기도를 하지 않고 일어서는 것이 이상하다고 하지 않을 수 있겠는가? 이 모든 필요는 그리스도 예수 안에서 하나님의 풍성하심에 의해 채워질 수 있다. 사도 바울은 이 점에 관해 의심하지 않았다. 우리도 의심하지 않는다. 그렇다.

"나의 하나님이 그리스도 예수 안에서 영광 가운데 그 풍성한 대로 너희 모든 쓸 것을 채우시리라"(빌 4 : 19).

그러나 그의 풍성함에 참여하려면 반드시 기도해야 한다. 바로 그 주님께서는 저를 부르는 모든 사람에게 부요하시기 때문이다(롬 10 : 12).

기도가 이처럼 중요하기 때문에 하나님께서는 우리가 저지를 수 있는 모든 핑계와 반대를 미리 대비해 놓으셨다.

인간은 자기의 약점과 연약함을 항변하거나 그렇지 않으면 기도하는 방법을 모른다고 단언하려 든다. 하나님은 오래전에 인간의 이런 무력함을 예상하셨다. 그래서 사도 바울에게 영감을 주어 다음과 같이 말하게 하셨다.

"이와 같이 성령도 우리 연약함을 도우시나니 우리가 마땅히 빌 바를 알지 못하나 오직 성령이 말할 수 없는 탄식으로 우리를 위하여 친히 간구하시느니라 마음을 감찰하시는 이가 성령의 생각을 아시나니 이는 성령이 하나님의 뜻대로 성도를 위하여 간구하심이니라"(롬 8 : 26-27).

그렇다. 모든 것이 우리를 위해 예비되어 있다. 그러나 오직 성령께서만 우리로 하여금 "분발하여 주를 붙잡게" 하실 수 있다. 만일 우리가 성령의 음성에 우리 자신을 복종시키기만 하면, "자신을 기도에 드려" "기도하는 것에 전무했던"(행 6 : 4) 옛 사도들의 본을 따르게 될 것이다.

우리는 다음과 같은 결론을 안심하고 내릴 수 있다 : 한 사람이 세상에 미치는 영향력은 그의 웅변으로도, 그의 열성으로도, 그의 틀림없는 교리로도 또한 그의 힘으로도 측정할 수 없고 오직 그의 기도로만 측정할 수 있다. 그렇다. 더 나아가 인간은 올바른 기도가 없이는 올바른 삶을 살 수 없다고 단언할 수 있다.

아침부터 저녁까지 그리스도를 위해 일할 수도 있고, 성경 공부에 장시간을 바칠 수도 있다. 또한 우리는 전도와 개인 관계에서 가장 열렬하고 신실하며 가장 마음에 들게 할 수도 있다. 그러나 이 중 어느 한 가지도 깊은 기도가 없는 한은 진정한 효력이 없다.

우리는 선행을 수없이 하고도 모든 선한 일에 열매가 없을 수 있다(골 1 : 10). 하나님께 적게 기도하는 것은 하나님을 위해 적게 봉사하는 것이다. 많은 은밀한 기도는 많은 공적 능력을 의미한다. 그러나 우리의 조직이 거의 완벽에 가까운 반면 기도의 고투는 거의 전무한 것이 사실이 아닌가?

사람들은 부흥이 더디 옴을 이상히 여긴다. 부흥을 가로막는 것은 오직 한 가지 기도의 결핍뿐이다. 모든 부흥은 기도의 결과다. 때로 사람들은 천사장의 음성을 갈망한다. 하지만 그리스도의 음성이 우리로 기도하게 하지 않으면 그게 무슨 소용이 있겠는가?

주님께서 무한한 약속들을 제시하셨지만 이 약속을 주장하는 부르짖음이 없다면 그것은 무례한 일이 아닐 수 없다. 이미 우리는 무언가 이루어져야 할 일이 있음을 통감하며 또 성령께서 사람들에게 그리스도의 말씀과 능력을 기억나게 하고 계심을 확신한다. 기도의 가치와 필요성과 전능함을 나의 말로는 사람들에게 설득시킬 수가 없다.

그러나 하나님이신 성령 자신이 그리스도인들에게 기도하지 않는 죄를 깨우치셔서 무릎을 꿇게 하시고 불타는 심정과 믿음과 간절한 중보 가운데 주야로 하나님께 부르짖도록 만드실 때 우리는 진정한 기도에 몰두하게 된다.

주 예수님께서는 지금도 하늘 영광 중에서 우리들을 향하여 손짓하시며 무릎을 꿇고 그의 풍성하신 은총을 구하라고 하신다.

아무도 타인에게 어느 정도 기도하라고 정해 줄 수 없다. 또한 하루에 몇 분간씩 혹은 몇 시간씩 기도하겠다는 서약을 하라고 주장할 수도 없다. 물론 성경은 "쉬지 말고 기도하라"고 명령하고 있다. 이것은 분명히 "기도의 태도", 즉 생활 자세를 의미한다.

여기서 기도하는 행동을 구체적으로 살펴보자. 기도하는 시간을 재 본 적이 있는가? 자신이 기도하는 시간을 재 본 사람은 놀라고 당황했으리라고 믿는다.

수년 전 필자는 기도의 시간에 대한 질문을 받은 적이 있었다. 질문자는 적어도 하루에 한 시간은 기도하는 데 바쳐야 한다고 여기고 있었다. 그래서 그는 날마다 자신의 기도 생활을 조심스럽게 기록해 두었다. 세월이 흐른 후에 그는 하나님이 귀히 쓰시는 어느 일꾼을 만났다.

그에게 성공의 비결이 무엇이냐고 물었을 때 그는 대뜸 "글쎄요, 저는 반드시 하루 두 시간씩 개인 기도를 하지 않으면 안 됩니다"라는 것이었다.

나는 그 당시 해외에서 온 성령 충만한 선교사 한 분을 만난 적이 있었다. 그는 자기의 사역을 통해 하나님께서 역사하신 놀라운 사건들을 무척이나 겸손하게 털어놓았다(시종 일관 하나님께 모든 찬양과 모든 영광을 돌리는 모습을 볼 수 있었다).

"때로는 하루에 네 시간을 기도해야 함을 깨닫습니다"라고 그 선교사는 말하였다.

모든 선교사 중에 가장 위대한 선교사가 온 밤을 지새워 기도하셨던 사실을 우리는 기억해야 할 것이다. 왜 기도하셨을까? 우리의 복된 주님께서 단순히 본을 보이시려고 기도하신 것은 아니다. 그는 단지 본을 보이시기 위해 일을 하시지 않았다. 그는 기도할 필요가 있었기에 기도하셨다. 완전한 인간인 그에게는 기도가 필수 불가결한 것이었다. 하물며 당신과 나에게는 얼마나 기도가 필요하겠는가?

"하루 네 시간의 기도!" 기독교 사역에 모든 삶을 드리고 있는 어느 의료 선교사 한 분이 놀라서 외친 말이다.

"네 시간 동안? 맙소사 난 10분이면 끝이야!" 이건 그래도 솔직하고 용기 있는 고백이다. 비록 안타깝기는 하지만 우리가 그처럼 거짓없이 털어놓을 수만이라도 있다면…….

그런데 내 생애에 이런 사람들을 만난 것은 우연한 일이 아니다. 하나님께서는 그들을 통해 내게 말씀하고 계셨다. 이것은 바로 "인내의 하나님"이요 "안위의 하나님"(롬 15 : 5)이 보내시는 또 하나의 "기도에의 부르심"이었다.

그들의 조용한 메시지가 내 영혼 깊숙이 스며들었을 때 남들이 흔히 하는 말로 "우연히" 한 권의 책이 내 손에 들어왔다. 그 책은 존 하이드(John Hyde)의 이야기를 간단 명료하게 써 놓은 것이었다.

그 책의 제목은 기도의 사람 하이드(*Praying Hyde*, 본사 역간)였다. 하나님께서 세례 요한을 보내어 주님의 초림 길을 예비하셨듯이, 오늘날 이 말세에 기도하는 존을 보내어 주님의 재림 길을 평탄케 하신 것 같다.

"기도의 사람 하이드", 얼마나 위대한 이름인가! 이 신기하고 놀라운 기도자의 생애를 읽는 사람마다 "내가 정말 기도한 적이 있는가?"라는 질문을 하게 될 것이다.

나는 다른 사람들도 동일한 질문을 하는 것을 알았다. 놀라운 기도 생활로 유명한 어느 부인이 내게 다음과 같이 편지하였다.

"나는 이 책을 다 읽고 나서 내 전생애에 진정한 기도를 해본 적이 결코 없다고 생각하게 되었습니다."

하지만 이 문제는 여기서 그쳐야 되겠다. 하나님 앞에 무릎 꿇고 성령께서 우리를 샅샅이 감찰하시도록 허용할 것인가? 우리는 성심 성의를 다하는가? 진정으로 하나님의 뜻을 행하기 원하는가? 진정으로 그의 약속을 믿는가? 만약 그렇다면 하나님 앞에서 무릎 꿇는 시간을 더 늘리게 되지 않겠는가? 하루에 지나치게 많이 기도하겠다고 서약하지 말라. 다만 많이 기도하겠다고 결심하라. 그러나 기도는 귀중한 것으로 반드시 자발적이어야지 억지로 해서는 안 된다.

그러나 주 예수 그리스도에 대한 온 마음의 절대 굴복이 없이, 단순히 장시간 기도하겠다는 결심과 기도에 대한 염오(厭惡)를 극복하겠다는 결심만 가지고는 지속적으로 기도할 수 없다는 것을 명심하지 않으면 안 된다. 만일 이 단계에 이르지 못했다면, 그리고 만일 기도의 사람이 되기 원한다면 지금 곧 시작해야 한다.

하나님께서는 나에게 기도하기를 원하시고, 당신에게도 기도하기를 원하신다는 것은 너무나도 확실한 사실이다. 문제는 "우리가 기도하기를 원하느냐?"이다.

은혜로우신 구주여, 성령의 충만을 주옵소서. 그리하여 우리가 무릎 꿇는 그리스도인이 되게 하옵소서.

　　네 모든 소원을 하나님께
　　늘 기도로 아뢰라.
　　항상 기도하라. 기도하고 낙심치 말라.
　　기도하라. 쉬지 말고 기도하라.

제 3 장

구하라, 시행하리라

하나님은 내가 기도하기를, 더욱 많이 기도하기를 원하신다. 그 이유는 영적인 일의 성공은 모두 기도에 달려 있기 때문이다.

기도하지 않는 전도자는 노력의 결과를 혹시 얻는다 해도 그것은 누군가가 어디서 그를 위해 기도하고 있기 때문일 것이다. 따라서 그 열매는 전도자의 것이 아니라 기도하는 사람의 것이다.

주님께서 "각 사람의 행한 대로 상급을 주실 때" 우리 전도자들 가운데 일부는 얼마나 당황하겠는가? "주여! 저 사람들은 내가 전도한 사람들이 아니니이까! 수많은 사람들을 양 우리 안으로 불러들인 이 사역은 바로 내가 주도한 것이니이다." 그야 그렇지. 내가 전도하고 내가 주도하고 내가 설득했지. 그러나 기도한 것도 나인가?

모든 회심자는 어떤 신자의 기도에 대한 응답으로 성령께서 간구하신 결과이다.

오 하나님, 이런 당혹함이 우리에게 임하지 말게 하소서. 오 주여, 기도하는 법을 가르쳐 주옵소서.

우리는 이미 하나님께서 그의 자녀들에게 기도하라고 애타게 요청하시는 것을 보았다. 나는 그 기도의 요청을 어떻게 취급하고 있는가? 바울 사도와 같이 "하늘에서 보이신 것을 내가 거스리지 아니한다"(행 26 : 19)고 자신 있게 말할 수 있는가? 다시 말하거니와, 만일 하늘나라에 가서 후회할 일이 있다면 그 중에 가장 큰 후회는 이 땅에 살 동안에 진실한 기도를 너무 적게 했다는 점일 것이다.

기도의 영역을 생각해 보라!

"내게 구하라 내가 열방을 유업으로 주리니 네 소유가 땅 끝까지 이르리로다"(시 2 : 8).

그러나 많은 사람들은 자기 생활의 작은 일들 하나라도 하나님 앞에 안고 나오기를 수고스럽게 생각한다. 또 열 명 중 아홉 명의 그리스도인들은 불신자를 위한 기도를 생각하지 않는다.

그리스도인들이 기도를 좋아하지 않는 것에 놀라지 않을 수 없다. 아마 그들이 기도 응답을 한번도 체험해 보지 못했거나 그런 것을 들어 본 적이 없기 때문일 것이다.

제 3 장에서는 "불가능한 것"을 시도해 보기로 한다. 불가능이란 무엇을 의미하는가? 기도의 능력이 모든 독자의 마음과 양심에 깊이 새겨지기를 갈망한다. 이런 시도를 감히 "불가능"이라고 묘사해 본다. 왜냐하면 사람이 주님의 약속과 명령을 믿고 거기에 따라 행동하지 않는다면, 어떻게 사람의 권면으로

설득되리라고 기대하겠는가 하는 이유 때문이다.

그러나 예수님께서 제자들에게 말씀하실 때 내가 아버지 안에 거하고 아버지께서 내 안에 거하심을 믿느냐고 질문하심을 독자들은 기억하고 있는가? 그때 이렇게 덧붙이셨다.

"내가 아버지 안에 있고 아버지께서 내 안에 계심을 믿으라 그렇지 못하겠거든 행하는 그 일을 인하여 나를 믿으라"(요 14 : 11).

이 말씀은 "만일 나의 인격과 나의 거룩한 생활과 나의 놀라운 말을 통해 나를 믿지 못한다면, 나의 행한 일을 보라. 정녕 이 일을 보면 믿지 않을 수 없을 것이다. 내가 행한 일로 인하여 나를 믿으라"는 의미이다.

그리고는 만일 그들이 믿는다면 이보다 더 큰 일을 할 것이라고 약속하셨다. 기도에 대한 여섯 가지 놀라운 약속 중에 첫째 약속은 이 말씀 다음에 주신 것이다. 따라서 "더 큰 일"이란 분명히 기도의 결과로만 이루어질 수 있는 일이라고 추론할 수 있다.

그러므로 제자가 스승의 방법을 따라야 하지 않을까? 동역자들이여, 기도에 관한 주님의 약속들을 도저히 납득할 수 없거나 신뢰할 수 없다면 "바로 그 행한 일로 인하여" 믿지 아니하겠는가? 이 말은 오늘날 주의 종들이 행하는 "더 큰 일", 즉 그들 기도의 협력을 통하여 주 예수님이 행하시는 일들을 보고 믿으라는 말이다.

우리는 무엇을 얻으려고 애를 쓰는가? 도대체 인생의 진정한 목표는 무엇인가? 무엇보다도 우리는 주의 일에 풍성한 열매를 맺기를 간절히 바라고 있다. 우리는 지위나 명예나 권세를 구하지 않는다. 다만 열매맺는 종들이 되기를 원한다. 그렇다면 반드시 많이 기도해야 한다. 하나님은 우리의 전도를 통해서보다 우리의 기도를 통해 더 많은 일을 하실 수 있다.

고든(A. J. Gordon)은 "기도한 다음에는 기도하는 일보다 더 큰 일을 할 수 있다. 그러나 기도하기까지는 결코 기도하는 일보다 더 큰 일을 할 수 없다"라고 했다. 사람들이 이 말을 믿으면 얼마나 좋으랴!

인도에서 한 부인이 생활과 사역에 실패하여 의기소침해 있었다. 그녀는 헌신적인 선교사였지만 웬일인지 한 사람의 회심자도 얻지 못했다.

성령께서 그녀에게 "더 많이 기도하라"고 말하시는 것 같았다. 그러나 그녀는 얼마 동안 그 성령의 요구를 거절했다. 그녀는 다음과 같이 말했다.

> "마침내 나는 많은 시간을 기도를 위해 떼어놓았다. 그러면서 나는 동역자들이 나를 보고 직무를 태만히 한다고 불평하지나 않을까 하는 두려움과 떨림이 있었다. 수주 후에 그리스도를 구주로 받아들이는 회심자들을 보게 되었다. 더 나아가 전지역이 순식간에 각성하고 모든 선교사들의 사역도 전에 없는 축복을 받았다. 하나님은 단 6개월 만에 내가 6년간 이룬 것보다 더 큰 일을 행하셨다."

그리고 그녀는 "아무도 나에게 직무를 유기한다고 비난하는 사람이 없었다"고 덧붙였다.

역시 인도의 한 여자 선교사도 동일한 기도의 부르심을 느

껐다. 그녀는 기도에 많은 시간을 들이기 시작했다. 외부로부터
는 아무런 반대도 없었으나 안에서 반대가 일어났다. 그러나 그
선교사는 굳게 밀고 나가 2년 만에 여섯 갑절의 세례 교인을
얻었다.

하나님은 만민에게 은혜와 간구의 영을 부어 주시기로 약속
하셨다(욜 2 : 28). 그 간구의 성령이 얼마나 우리의 것이 되
었는가? 우리는 어떤 희생을 치르더라도 그 영을 받아야 한다.
그러나 "간구"에 시간을 바치지 않는다면, 하나님은 부득불 성
령을 주실 수 없게 되고 우리는 성령을 거역하는 무리에 속하게
된다. 뿐만 아니라 성령을 소멸하는 자가 될 수도 있다. 주님께
서 구하는 자에게 성령을 주시겠다고 약속하지 않았는가? (눅
11 : 13)

이교에서 회심한 사람들이 오히려 우리를 부끄럽게 하고 있
지 않은가? 몇 년 전 내가 인도에 있었을 때 판디타 라마바이
(Pandita Ramabai)의 사역 가운데 일부를 볼 수 있는 축복을
얻었다. 그녀는 1,500명의 힌두인 소녀를 수용하는 기숙사제
학교를 경영하고 있었다. 어느 날 몇몇 소녀가 그들의 성경을
가지고 와서 한 부인 선교사에게 누가복음 12 : 49의 의미를
물었다.

"내가 불을 땅에 던지러 왔노니 이 불이 이미 붙었으면
내가 무엇을 원하리요."

그 선교사는 이 말씀이 무엇을 의미하는지 자신이 없어서
대충 얼버무려 돌려 보내려 했다. 그러나 그들은 만족할 수 없
어서 이 불이 무엇인지 알기 위해 기도하기로 했다. 그들이 기

도할 때―기도했기 때문에―바로 그 하늘의 불이 그들의 영혼에 들어왔다. 위로부터 또 한 차례의 오순절이 그들에게 강림하였던 것이다. 그들이 계속 기도한 것은 당연한 일이었다.

하나님께로부터 "간구의 영"을 받은 이 소녀들 중 일부가 내가 묵고 있던 집에 찾아왔다. 그들은 "우리가 이 마을에서 함께 머물며 선교사님의 사역을 위해 기도해 드려도 될까요?" 하고 물었다. 그 선교사는 기꺼이 그들의 의도를 받아들이려 하지 않았다. 그는 학생들은 학교에 있어야 하고 마을로 돌아다니면 안 된다는 것이었다.

그러나 소녀들은 자기들에게는 오직 기도만이 소중하므로 거실도 좋고 창고도 좋으니 제발 기도할 수 있는 곳만 제공해 달라고 간청했다. 마침내 그들의 부탁이 허락되고 그 선교사는 생각에 잠기면서 저녁 식탁에 앉았다.

저녁 식사가 끝난 후 본토 출신 목사 한 분이 왔는데 그는 완전히 깨어진 상태였다. 그는 눈물을 흘리면서 하나님의 성령께서 그의 죄를 깨우치시므로 그의 잘못된 행위를 와서 공개적으로 자백하지 않으면 안 된다는 생각을 했다고 설명했다. 그를 따라 그리스도인들이 하나씩 죄인임을 깊이 깨닫고 통회하며 자복하기 시작했다.

놀랄 만한 축복의 때가 이루어졌다. 타락한 자들이 돌아오고 신자들이 성별되며 이교도들이 신자 안으로 들어왔다. 이 모든 현상은 오로지 소수의 어린 소녀들이 기도했기 때문이었다.

하나님은 사람을 차별 대우하시지 않는다. 누구든지 하나님의 조건을 채우려 하면 하나님께서는 그의 약속들을 확실하게 성취시켜 주신다. 하나님의 놀라운 능력을 들을 때 또한 그 능력이 간구함으로써 우리의 것이 된다고 할 때 마음이 불같이 타오르지 않는가?

여기에는 조건이 있다. 그러나 당신과 나는 그리스도를 통해 이 조건들을 성취할 수 있다. 인도나 다른 어떤 해외 선교지에서 하나님의 일을 할 특권을 가질 수 없는 자들도 우리와 동일한 축복을 받는 데 동참할 수 있다.

웨일즈(Wales)의 부흥이 절정에 달했을 때 한 웨일즈인 선교사는 인도에서도 웨일즈에서와 같은 부흥 운동이 일어나도록 기도해 달라는 서한을 고국에 보냈다. 이 소식을 듣고 광부들은 해외의 동지들을 위해 새벽마다 30분씩 갱 입구에서 기도회를 가졌다. 수주가 못 되어 반가운 메시지가 고국에 전달되었다. "축복이 이루어졌다"는 것이었다.

우리의 기도에 의해 인도, 아프리카, 중국, 어디든지 축복의 소나기가 쏟아지는 것을 볼 때 어찌 장한 일이라 아니하겠는가?

우리는 몇 년 전 기도의 응답으로 하나님께서 한국에 베푸신 놀라운 역사를 기억할 것이다. 몇 명의 선교사가 매일 정오에 모여 기도하기로 하였다. 한 달이 다 되었을 때 한 형제가 보다시피 아무 변화가 없으니 기도회를 중단하는 수밖에 없다고 제의했다. 그리고는 각자가 편의에 따라 가정에서 기도하자고 했다. 그러나 다른 이들은 오히려 매일 더 많은 시간을 내어 기도해야 한다고 항변하였다. 그리하여 4개월간 기도회를 계속하였는데 갑자기 축복이 쏟아지기 시작했다.

여기저기서 교회의 예배가 죄를 통회하며 자복하는 일로 중단되었다. 드디어 강력한 부흥의 불길이 일게 되었다. 한 곳에서는 주일 밤 예배 때에 교회의 한 지도자가 일어서서 과부의 유산을 관리하면서 상당한 액수를 절취한 사실을 자백했다.

죄에 대한 통회가 즉시 청중을 휩쓸었다. 그날 밤 예배는 월요일 새벽 2시까지 그칠 줄을 몰랐다. 전례 없는 하나님의 놀라운 능력의 역사였다. 교회가 정화되자 수많은 죄인들이 구원을 받았다.

무리가 호기심 가운데 떼를 지어 교회로 몰려들었다. 어떤 이들은 조롱하러 왔다가 두려움에 사로잡혀 기도하게 되었다. 호기심을 가진 자 중에 도적 두목이 있었는데 그는 강도단의 우두머리로서 그곳에 왔다가 통회하고 회개했다. 그는 즉시 경찰서를 찾아가 자신의 정체를 폭로했다. 놀란 경찰관은 "아무도 자네를 고소하지 않았는데 스스로 자기를 고소하다니! 한국에는 자네와 같은 경우를 다룰 법이 없네!" 하고는 그를 풀어 주었다.

선교사 중에 한 분이 이런 말을 했다. "수개월간 기도드린 것에 대한 대가를 충분히 받았다. 하나님께서 성령을 주심으로 우리 모두가 반년 동안 할 수 있는 일보다 더 큰 일을 한나절에 이루어 놓으셨으니 말일세." 2개월도 채 못 되어 2,000여 명의 불신자가 개종하였다. 그 개종자들의 불타는 열심은 조소의 대상이 되었다. 더러는 교회 건축을 위해 모든 소유를 바치고도 더 바치지 못해 안타까워하며 눈물을 흘렸다. 그들이 기도의 능력을 깨달았음은 말할 나위도 없다. 회심자들은 "간구의 영"으로 세례를 받았다.

어느 교회에서는 매일 새벽 4시 30분에 기도회를 갖는다고 발표했다. 그러자 첫날 새벽에 기도에 갈급하여 무려 400명의 신도들이 정한 시간 오래전부터 붐볐다. 며칠 계속되자 모인 사람의 수가 급속히 증가하여 600명 선을 돌파했고, 서울에서는 평균 1,100명이 주간 기도회에 참석했다.

불신자들은 도대체 무슨 일이 일어났는가 하여 보러 나왔다가 그들은 경이에 찬 음성으로 "살아 계신 하나님이 여기 계시도다!" 하고 외쳤다. 그 가련한 불신자들은 많은 그리스도인들이 보지 못하는 것을 보았던 것이다. 그리스도는 이렇게 말씀하시지 않았는가?

"두세 사람이 내 이름으로 모인 곳에는 나도 그들 중에 있느니라"(마 18 : 20).

한국에서 가능한 것은 여기서도 가능하다. 하나님은 민족을 편애하지 않으신다. 하나님은 우리에게 복 주기를 갈망하시며 우리에게 성령을 부어 주기를 갈망하신다.

자, 만일 우리가 이곳 소위 기독교 국가에서 기도의 응답을, 다시 말해 주님의 약속들을 진실로 믿는다면, 기도 모임을 회피해서 되겠는가? 만일 우리가 주변의 수천 수만의 영혼과 이방 세계의 수많은 영혼을 조금이라도 염려한다면 어찌 기도를 아낄 수 있겠는가? 분명히 우리는 전혀 생각지 않고 있다. 그렇지 않으면 더 많은 기도를 해야 한다.

"내게 구하라, 내가 시행하리라"고 전능하신 분, 사랑의 하나님이 말씀하셨는데 우리는 그의 말씀에 거의 무관심하고 있다.

진실로 이교에서 개종한 사람들이 우리를 부끄럽게 만들고 있다. 여행 중에 내가 북서 인도에 있는 라발핀디(Rawal Pindi)에 갔을 때 뜻밖의 일이 있었다. 판디타 라마바이는 제자들과 함께 그곳에서 야영을 하고 있었다. 그녀는 야영하기 전에 그들에게 다음과 같이 말해 주었다. "인도에 어떤 축복이 내려진다면 우리는 그것을 얻을 수 있다. 그 축복을 얻기 위해 무엇을 해야 하는지 할 일을 알려 달라고 하나님께 기도하자."

그 선교사는 성경을 읽다가 다음 구절에서 멈추었다.

"……아버지의 약속하신 것을 기다리라……성령이 너희에게 임하시면 너희가 권능을 받고……"(행 1 : 4-8).

그녀는 "'기다리라! 왜?' 우리는 한번도 기다린 적이 없다. 우리는 기도를 드렸지만 어제보다 오늘 더 큰 축복이 있으리라고 기대해 본 적이 없다"고 외쳤다.

그들이 얼마나 기도했는지! 한 번 기도회로 모이면 장장 6시간이나 계속되었다. 그들의 그런 기도에 하나님께서 놀라운 축복을 주시지 않겠는가?

그 소녀들이 라발핀디에 있을 때였다. 한밤중에 한 선교사가 자기 천막에서 밖을 내다보다가, 한 소녀의 천막에서 타오르는 불빛을 보고 깜짝 놀랐다. 야영 규율에 위배되는 일이라 그 선교사는 훈계하러 거기에 갔다. 그러나 10명의 소녀들 중에 가장 나이가 어린 15세의 소녀가 천막 한쪽 구석에 무릎을 꿇고 앉아 한 손에는 짤막한 수지 양초를 들고 다른 한 손에는 기도해 줄 사람의 명단을 들고 있는 것이 아니겠는가?

그 소녀는 판디타 라마바이 학교의 1,500명의 학생들 중 500명의 명단을 가지고 있었다. 시간마다 그 소녀는 하나님께 그들의 이름을 부르며 중보기도했다는 것이다. 그 소녀들이 가는 곳마다, 그 소녀들이 중보기도하는 사람마다 하나님께서 복을 내리실 것은 당연한 일이었다.

중국의 목사 띵 리 메이(Ding Li Mei)는 그의 학생 1,100명을 그의 기도명단에 실어 놓았다. 수백 명의 학생들이 이미 그의 기도를 통해 그리스도께로 인도되었고, 그들 중 다수는 철두철미한 기독교 사역자가 되었다.

기도를 통해 일어난 놀랍고도 감동적인 사건들은 이 외에도 무수히 많이 있다. 그것을 일일이 열거할 필요는 없을 것이다. 하나님께서 나에게 기도하기를 원하고 계신다는 사실을 알기 때문이다. 하나님은 당신도 기도하기를 원하신다.

"만일 이 나라에 축복이 주어진다면 그것은 우리의 것이 될 수 있다." 아니, 그보다 그리스도 안에서 어떤 축복이 있다면 우리는 그것을 가질 수 있다.

> "찬송하리로다 하나님 곧 우리 주 예수 그리스도의 아버지께서 그리스도 안에서 하늘에 속한 모든 신령한 복으로 우리에게 복 주신다"(엡 1 : 3).

하나님의 광대한 창고는 복으로 가득 차 있다. 오직 기도만이 그 창고를 열 수 있다. 기도는 열쇠이며 믿음은 그 열쇠를 돌려 문을 여는 일과, 복을 내 것으로 찾아오는 두 가지 역할을 한다.

> "마음이 청결한 자는 복이 있나니 저희가 하나님을 볼 것임이요"(마 5 : 8).

하나님을 보기 위해서는 올바른 기도를 해야 한다.

잘 듣기 바란다! 당신과 나는 다시 한번 결단의 갈림길에 서 있다. 만일 우리가 기도를 제자리에 서게만 한다면 모든 실패와 무능력과 부족함, 그리고 모든 열매 없는 과거가 영원히 추방될 것이다. 오늘 행하자. 보다 좋은 때를 기다리지 말라.

모든 것은 우리의 결단에 달려 있다. 진실로 하나님은 놀라운 분이시다. 그에 대한 가장 놀라운 일 중의 하나는 그는 모든 것을 믿음의 기도에 맡기신다는 것이다. 온 마음을 깨끗이 하여 믿음으로 간구하는 기도는 결코 실패하지 않는다. 하나님은 이를 위해 말씀을 주셨다. 그러나 더욱더 놀라운 것은 그리스도인들이 하나님의 말씀을 믿지도 않고, 그 말씀을 시험해 보지도 않는다는 것이다.

그리스도가 "모든 것의 모든 것" 즉 우리 모든 것의 구주가 되시고 주인이 되시며 왕이 되신다면, 우리를 위해 기도하시는 분은 바로 주님이시다. 그렇다면 우리는 유명한 구절의 한 단어를 바꾸어, 주 예수님은 항상 우리 안에서 간구하고 계신다고 말할 수 있다.

불신으로 주님을 놀라게 하지 말고 믿음으로 주님을 놀라게 하면 얼마나 좋으랴! 주님께서 다시 기이히 여기실 때는 우리에게 "진실로 너희에게 이르노니 이스라엘 중 아무에게서도 이만한 믿음을 만나보지 못하였노라"(마 8 : 10) 하실 것이다. 그때는 참으로 중풍병이 능력으로 낫게 될 것이다.

주님께서는 우리에게 "불을 던지러" 오시지 않았던가? 우리는 "이미 불이 붙어" 있는가? 하나님께서 케드곤(Khed-gaon)의 어린이들을 쓰심같이 우리를 들어 쓰지 못하시겠는가?

하나님은 인간을 차별 대우하지 않으신다. 우리가 겸손하고 진실하게 "내게 사는 것이 그리스도니"(빌 1 : 21)라고 말할 수 있다면, 그의 강한 능력을 우리 앞에 보여 주지 않으시겠는가?

기도의 사람 하이드를 읽어 보신 분들이 있을 것이다. 정말 그의 간구는 생활을 변화시켰다. 사람들은 하이드가 기도할 때 전율을 느낀다고 말했다. 하이드가 "주 예수여! 주 예수여! 주 예수여!"라고 외쳐 간구할 때, 그들은 마음속 깊은 곳에서 용솟음쳐 오는 사랑과 능력의 세례를 받았다.

그러나 사람을 성결하게 만들고 성령 충만하게 하며 사방에서 그에게로 몰려들게 한 것은 하이드가 아니라 하나님의 성령이었다. 우리 모두가 "기도의 사람 하이드"가 될 수 없을까? 당신은 "아니, 하이드는 특별한 기도의 은사를 받았으니까 그렇지"라고 일축해 버리지는 않는지? 옳다. 그럼 그가 어떻게 그 선물을 받았을까? 그도 평범한 그리스도인으로 바로 우리와 같은 사람이었다.

인간적으로 말해서 그의 기도하는 삶은 아버지 친구의 기도 때문이었다는 점을 유의해 본 적이 있는가? 이제 이 점을 명심해 주기 바란다. 이것은 가장 중요한 것 중에 하나이며 당신의 전생애에 깊은 영향을 주게 될 것이다. 이 사실이 주는 의미가 너무 크기 때문에 이 지면을 빌려 내력을 자세히 설명해도 좋을 것이다.

존 하이드 자신의 말을 인용해 보고자 한다. 그는 인도로 항해하는 배의 갑판 위에 서 있었다. 그곳에 선교사로 가던 중이었다. 그는 이렇게 말했다.

"아버지에게는 해외 선교사가 되기를 간절히 소원하는 한 친구가 있었는데 그는 결국 허락을 받지 못했다. 그는 그 배를 수신처로 하여 나에게 편지를 보냈다. 뉴욕 항을 떠난 지 몇 시간 후에 나는 그의 편지를 받게 되었다. 말은 몇 마디 안 되지만, 그 요지는 '사랑하는 존, 네가 성령으로 충만하기까지 기도를 쉬지 않겠네' 하는 것이었다. 그 편지를 다 읽었을 때 나는 화가 치밀어 올라 그것을 구겨서 갑판 위에 팽개쳐 버렸다. 이 사람이 내가 아직 성령 세례도 안 받고 이 정도의 준비도 없이 인도에 가는 줄로 생각하고 있다니? 나는 무척이나 화가 났다. 그러나 차츰 올바른 판단이 서게 되었다. 나는 편지를 집어 들고 다시 읽어 보았다. 어쩌면 나는 아직도 받아 보지 못한 무엇인가가 필요할 것이다. 나는 갑판 위를 오르락내리락하며 마음속으로 씨름을 하고 있었다. 불안을 느꼈다. 나는 그 편지를 쓴 사람을 사랑했다. 나는 그가 거룩한 삶을 살아 온 것을 알고 있었다. 그리고 내 마음속에서 그가 옳다는 것과 나는 선교사가 될 자격이 없다는 확신이 섰다……이런 생각은 이삼 일간 계속되어, 결국 철저하게 비참함을 느끼게 되었다……마침내 나는 일종의 절망 속에서 주님께 성령의 충만을 간구했다. 그 순간 나는 나 자신을 보게 되었고 얼마나 이기적인 야망을 가진 자였는가가 바로 보이기 시작했다."

그러나 그는 아직 구하던 축복을 받지 못했다. 그는 인도에 상륙하여 동료 선교사와 함께 어느 야외 예배에 참석했다. 이에 대해 존 하이드는 또 다음과 같이 말했다.

"그 선교사가 죄에서 우리를 구하실 진정한 구주이신 예수 그리스도에 대하여 설교하는 것을 들었다. 그의 설교가 끝나자 점잖아 보이는 어떤 사람이 유창한 영어로 선교사 자신도 그렇게 구원을 받았는지를 질문하는 것이었다. 그 질문은 나의 가슴을 깊이 찔렀다. 왜냐하면 만일 나에게 그런 질문이 주어졌다면 나는 아직 그리스도께서 나를 완전하게 구원해 주시지 않았다고 고백하지 않을 수 없었기 때문이었다. 그것은 내 삶에 아직 제거되지 않은 죄가 있다는 것을 알았기 때문이었다. 나는 그리스도가 완전한 구주라고 다른 사람들에게 외치고 있으면서도, 나를 죄에서 완전히 구원해 주지 못한 그리스도를 전파하고 있다는 고백을 하지 않을 수 없다는 것이 그리스도의 이름에 얼마나 누를 끼치는가를 뼈저리게 느꼈다. 나는 내 방에 들어가서 문을 걸어 잠그고 둘 중에 한 가지가 되도록 주님께 아뢰었다. 즉 주님은 나의 모든 죄, 특별히 그토록 쉽사리 나를 잘 얽어 매는 죄를 이기게 해 주시든지, 아니면 내가 미국으로 돌아가 거기서 다른 직업을 구하게 하든지 해 달라는 것이었다. 나는 내 삶에서 복음의 능력을 체험할 수 있을 때까지 복음을 전파할 수 없다고 말씀드렸다. 이것이 얼마나 적절했는지 나는 실감했다. 주님은 나의 모든 죄에서 나를 구원해 주실 수 있고 또 기꺼이 구원하시겠다고 다짐해 주셨다. 주님은 나를 구원해 주셨고 나는 더 이상 그런 의심을 해 본 적이 없다."

존 하이드가 "기도의 사람 하이드"가 된 것은 바로 그때였다. 그리고 당신과 내가 능력 있는 기도의 사람이 될 수 있는 것도 바로 하나님께 대한 완전한 굴복과 우리를 죄의 권세로부터 구출해 달라는 단호한 요구를 통해서이다.

그러나 강조하고자 하는 점은 이미 언급했던 바와 같이 비교적 무명의 어떤 사람이 존 하이드를 위해 기도했다는 것이다. 하이드는 당시 세상에 알려지지 않았으나 다른 사람이 그를 위해 기도해 줌으로써, 지금은 모든 사람들이 그를 "기도의 사람 하이드"로 알게 될 만큼 큰 축복을 받았다는 것이다.

사랑하는 독자여, 잠시 전만 하더라도 당신 자신은 "기도의 사람 하이드"가 될 가망이 없다고 마음속에 생각하지는 않았는가? 물론 우리들 모두가 그렇게 많은 시간을 기도에 드릴 수는 없다. 신체적 이유나 다른 사유로 장시간 계속 기도할 수 없을 수도 있다. 그러나 우리 모두가 그의 기도 정신을 소유할 수 있다. 또 존 하이드를 위해 무명의 친구가 기도했듯이 우리도 다른 사람들을 위해 기도할 수 있지 않을까?

우리는 다른 사람들, 목사나 성직자들에게 축복이 임하도록 기도할 수는 없는가? 친구를 위해서, 가정을 위해서 그렇게 할 수는 없는가? 그렇게만 한다면 우리의 사역이 얼마나 고귀할까? 그러나 그렇게 기도하자면, 존 하이드가 굴복한 것처럼 우리도 완전히 굴복하지 않으면 안 된다. 아직 굴복하지 않았는가? 기도에 있어서 실패는 이런 마음의 결함이 그 원인이다.

오로지 "마음이 청결한 자"만이 하나님을 볼 수 있다. "주를 깨끗한 마음으로 부르는 자들"(딤후 2 : 22)만이 기도 응답을 자신 있게 요구할 수 있다.

이 글을 읽는 모든 사람들이 지금 당장 기도하기만 한다면 얼마나 큰 부흥이 일어나겠으며, 얼마나 큰 축복이 임할까!

하나님께서 왜 우리에게 기도하기를 원하시는지 아는가? 이제 만사가 기도에 달려 있는 이유를 알겠는가? 몇 가지의 이유가 있다. 그러나 그 중 하나가 본장을 읽고 나면 우리 앞에 명백하고도 생생하게 나타날 것이다. 즉 기도했는데도 응답을 받지 못하면 잘못이 우리에게 있다는 것이다. 응답받지 못한 기도는 모두 우리 마음에 무슨 잘못이 있는가 살펴보라는 경종이다. 하나님의 약속은 절대로 착오가 없기 때문이다.

"내 이름으로 무엇이든지 내게 구하면 내가 시행하리라" (요 14 : 14).

진실로 기도하는 사람은 하나님을 시험하는 것이 아니라 자신의 영적 삶을 시험해 본다.

예수여 당신께 더 가까이 옵니다.
오 날마다 더 가까이
예수여 당신께 더욱 의지합니다.
항상 더욱 의지합니다.

제 4 장

표적을 구함

"하나님은 참으로 기도 응답을 하시는가?"라는 말은 사람들의 입에 자주 오르내리는 질문이다. 그들의 마음 가장 깊은 곳에 머물고 있는 의문이기도 하다. "진정 기도가 값어치 있는 것인가?" 어쨌든 우리는 기도를 하지 않을 수 없다. 그런데 이교의 야만인들까지도 때때로 위험과 재앙과 고통에서 도움을 얻으려고 사람이나 물체를 향하여 부르짖는다.

진실로 기도를 믿고 있는 우리들도 또 다른 질문에 부딪히게 된다. 즉 "하나님을 시험해도 되는가?" 하는 것이다. 한걸음 더 나아가서 "우리가 감히 하나님을 시험하다니?"라는 생각이 뇌리를 스쳐 간다. 그 이유는 기도 생활의 실패가 우리의 영적 생활의 실패 때문이라는 것을 거의 생각하지 않고 있기 때문이다. 너무나 많은 사람들이 마음속에 기도의 가치나 효과에 대하여 불신감을 품고 있다. 그러나 믿음이 없는 기도는 헛것이다.

표적을 구하는 것은 하나님을 시험하는 일인가? 그리스도인들이 하나님을 시험하도록 설득할 수 있다면 좋으련만. 왜냐하면 이것은 하나님을 믿는 우리 자신의 믿음과 자기 생활의 거룩함을 시험하는 것이기 때문이다. 기도는 참경건을 달아 보는 시금석인 것이다.

하나님은 우리의 기도를 요구하시며, 우리의 기도를 소중히 여기시며, 우리의 기도를 필요로 하신다. 만일 기도가 이루어지지 않으면 자신의 잘못을 탓해야 할 뿐이다. 그렇다고 해서 능력 있는 기도는 항상 구하는 대로 받는다는 의미는 아니다.

성경은 우리가 하나님을 시험할 수 있음을 가르쳐 주고 있다. 구약 시대 기드온의 실례 하나만으로도 하나님께서 우리의 믿음, 비록 그것이 머뭇머뭇거리는 나약한 믿음일지라도 존중히 여기신다는 사실을 충분히 보여 주고 있다. 하나님은 자신이 직접 명백한 약속을 주셨음에도 불구하고 이를 "시험해 보라"고까지 허락해 주신다. 이것이야말로 무한한 위안이 아닐 수 없다.

기드온이 하나님께 "주께서 이미 말씀하심같이 내 손으로 이스라엘을 구원하려 하시거든 보소서 내가 양털 한 뭉치를 타작 마당에 두리니 이슬이 양털에만 있고 사면 땅은 마르면 주께서 이미 말씀하심같이 내 손으로 이스라엘을 구원하실 줄 내가 알겠나이다"(삿 6 : 36-37)라고 말하였다. 이튿날 아침 양털에서 물이 한 그릇 가득 나왔지만 기드온은 이것으로 만족하지 않았다. 그는 감히 두번째로 하나님을 시험하여 다음날 저녁에는 양털이 젖는 대신 오히려 마르게 해 달라고 기도하였다.

"그 밤에 하나님이 그대로 행하셨다"(삿 6 : 40).

망설이는 인간이 구하는 대로 전능하신 하나님께서 행하신 일은 너무나도 놀라운 일이다. 이 경우에 우리를 놀라게 하는 것은 사람의 당돌함인지 아니면 하나님의 겸비하심인지 가히 가름하기 어렵다. 다만 숨을 죽이고 경탄할 뿐이다. 물론 드러난 사건보다 내면에 더 큰 의미가 있다. 기드온은 양털이 기드온 자신을 나타낸다고 생각했음에 의심의 여지가 없다.

하나님께서 참으로 그에게 성령으로 채워 주시려 했다면 구원은 확실한 것이었다. 그러나 기드온은 양털을 짜면서 자기 자신을 흠뻑 젖은 그 양털과 비교하기에 이르렀다.

"나는 이 양털만큼 젖어 있는가? 하나님은 구원을 약속하셨으나 나는 그의 성령으로 충만치 못하다. 하나님의 전능하신 능력이 나에게 들어오지 않는 것 같다. 나는 정말 이 큰 하나님의 일에 합당한가?" 그렇지 못하다. 그러나 "역사하시는 이는 내가 아니고 하나님이시다."

"오 하나님, 양털을 말리소서. 여전히 역사하실 수 있나이까? 내 속에서 아무런 초인적인 능력을 느끼지 못할지라도, 내 속에서 충만한 영적 축복을 느끼지 못할지라도, 이 양털만큼이나 내가 메말라 있음을 느낄지라도, 여전히 당신은 나의 팔을 들어 이스라엘을 구원하실 수 있나이까?"("주여 내게 진노하지 마옵소서"라는 말로 기도를 시작한 것은 당연한 일이다.)

"이 밤에 하나님이 그대로 행하시니 곧 양털만 마르고 사면 땅에는 다 이슬이 있었더라"(삿 6 : 40).

그렇다. 이 사건 속에는 대충 보아서 보이는 것 이상의 의미가 있다. 우리 자신의 경우에도 마찬가지가 아닌가? 마귀는 종종 우리의 영혼이 메말랐으므로 기도의 응답을 받을 수 없다고 설득한다. 그러나 기도 응답은 우리들의 느낌에 좌우되지 않는다. 다만 약속하신 분의 신실함에 달려 있다.

앞서 말한 기드온의 방법이 우리나 모든 사람들을 위한 행동의 표준이라고 말하는 것이 아니다. 하나님의 말씀을 믿는 데 망설임이 많은 것 같다. 사실상 하나님을 비참하게 의심하는 것 같다. 우리가 하나님을 믿되 부분적인 믿음을 보일 때 그것은 분명히 하나님을 슬프시게 하는 것이다.

보다 차원 높고 보다 선하고 보다 안전한 방법은 "아무것도 의심하지 말고 구하는 것"이다. 그러나 하나님께서 기드온에게 하나님을 시험하도록 허락하셨다는 사실은 우리에게 더없이 위로와 안심이 된다. 성경에 언급된 것이 이 경우뿐만은 아니다.

하나님을 시험하는 가장 놀라운 사례가 갈릴리 바다 위에서 일어났다. 베드로가 우리 주님을 시험하였다.

"주여 만일 주시어든……."

그러나 주님은 이미 말씀하시기를 "내니 두려워 말라" 하셨다.

"주여 만일 주시어든 나를 명하사 물 위로 오라 하소서" 하자, 주님께서 "오라" 하셨고 베드로는 물 위로 걸어갔다(마 14：28-29).

그러나 베드로의 "시험하는 믿음"은 곧 실패로 돌아갔다. "적은 믿음"은 쉽사리 또 급속히 "의심"으로 변한다(31절). 그리스도께서 베드로가 걸어옴을 꾸짖지 않으셨음을 기억하라. 주님은 "어찌하여 네가 왔느냐?" 하시지 않고 "어찌하여 네가 의심하느냐?"고 말씀하셨다.

하나님을 시험하는 것이 최선의 방법은 아니다. 하나님은 우리에게 기도를 믿도록 하시기 위해 수많은 약속들을 주셨고, 기도에 응답하시는 그의 능력과 그의 의지를 수없이 증명해 보이셨다. 이렇게 하셨음으로 우리는 기적이나 표적을 구하기 전에는 심히 망설일 수밖에 없다.

그러나 "전능하신 주 하나님 자신께서 자기를 시험해 보라고 명령하지 않으셨던가?"라고 생각할 수도 있다. "만군의 여호와가 이르노라 너희의 온전한 십일조를 창고에 들여 나의 집에 양식이 있게 하고 그것으로 나를 시험하여 내가 하늘 문을 열고 너희에게 복을 쌓을 곳이 없도록 붓지 아니하나 보라"(말 3 : 10)고 하나님께서 말씀하시지 않으셨던가?

사실 그렇다. 하나님께서는 "나를 입증해 보라. 나를 시험해 보라"고 말씀하신다. 그러나 여기에서 실제적으로 시험을 받는 것은 우리들 자신이다. 우리가 기도하여도 하늘 문이 열리지 않고 차고 넘치는 축복이 이루어지지 않는다면 우리가 온전한 십일조를 드리지 않았기 때문일 수밖에 없다.

우리가 진실로 하나님께 완전히 굴복할 때—온전한 십일조를 하나님의 곳간에 드렸을 때—하나님을 시험할 필요가 전혀 없을 그런 축복을 얻게 될 것이다. 이 말은 기도하고도 응답이 없는 문제에 부딪혔을 때 해야 할 말이다.

한편 "나는 정정 당당하게 기도를 시험해 보았는가?"라고 모든 그리스도인들은 자문해 보기 바란다. 당신은 구체적인 기도를 드린 지가 얼마나 오래되었는가?

사람들은 설교나 집회나 선교를 축복해 달라고 기도한다. 그 때 다른 사람들도 함께 하나님께 간구해 주고 있기 때문에 어떤 것들은 분명히 응답을 받는다. 당신은 고통에서 벗어나고 병을 치료받기 위해 기도한다.

그러나 하나님을 믿지 않는 사람은 아무도 그를 위해 기도해 주지 않는데도 가끔 회심하고 돌아오며, 때로는 표면적으로 드러나는 기적적인 방법으로 회심하는 것을 본다. 그래서 우리도 우리 자신을 위해 아무런 기도를 드리지 않아도 보다 좋은 것을 얻을 수가 있다고 생각할 수도 있다.

수많은 사람들이 그들의 경험 속에서 진실로 분명하고도 결정적인 기도 응답을 전혀 손끝으로 만져 보지도 못하고 있는 것 같다. 하나님께서 그의 자녀들에게 응답하시기를 기뻐하시는데도 대부분의 그리스도인들은 그런 기회를 만들어 드리지 않고 있다. 이는 저들의 기도가 너무 모호하고 불분명하기 때문이다. 그렇다면 그 기도는 단순한 형식, 즉 날마다 아침 저녁 몇 마디씩 몇 분간씩 똑같은 말을 기계적으로 반복하는 것에 불과함을 놀랄 필요가 없다.

또 한 가지 지적할 점이 있다. 기도할 때 자신의 소원이 응답되는 것을 보여 주는 증거를 얻은 적이 있느냐는 것이다. 기도하는 사람들의 사생활을 아는 사람들은 그들의 기도가 응답된다는 완전한 확신이, 응답이 실제로 이루어지기 훨씬 전에, 그들에게 임한다는 사실에 종종 놀라게 된다.

어느 기도의 용사는 "내 영혼에 평안이 밀려왔다. 나의 요청이 응답됨을 확신했다"고 말하곤 했다. 그러면 그는 하나님께서 그에게 응답하셨음을 확신하고 하나님께 감사드렸다. 그의 확신은 절대적으로 옳았다는 것이 증명되곤 했다.

우리 주님은 비록 하나님이셨지만, 완전한•인간으로서 지상에서 사시면서 성령을 의지하셨다. 그렇지만 늘 이런 확신을 가지고 계셨다.

주님께서는 나사로의 무덤 앞에 서서 죽은 자에게 나오라고 부르기 전에 "아버지여 내 말을 들으신 것을 감사하나이다"(요 11 : 41)라고 하셨다. 그럼 왜 그런 감사의 말씀을 드렸을까?

"그러나 이 말씀하옵는 것은 둘러선 무리를 위함이니 곧 아버지께서 나를 보내신 것을 저희로 믿게 하려 함이니이다"(요 11 : 42).

만일 믿음으로 말미암아 그리스도께서 우리의 마음에 거하시면, 만일 성령이 우리의 간구에 힘을 불어넣으시고 우리가 "성령으로 기도한다면"(유 20절), 아버지께서 우리의 말을 "들으시는 것"을 어찌 모르겠는가? 그러면 우리 주변에 있는 사람들이 우리도 하나님께서 보내신 자들이라는 것을 어찌 알지 못하겠는가?

기도의 사람이라면 자신이 하나님의 뜻이라고 아는 어떤 것을 놓고 하나님 앞에서 고민할 것이다. 성경에 분명히 약속되어 있기 때문이다. 그래서 때로는 수시간씩 기도하게 되고 심지어는 수일간씩 매어 달리는 것이다. 그러면 홀연히 하나님께서 그들의 소원을 응답해 주셨음을 성령께서 명백하게 보여 주신다.

또한 더 이상 그 문제에 관하여는 간구할 필요가 없음을 확신하게 된다. 이것은 하나님께서 분명한 목소리로 "네 기도가 상달되어 내가 네 마음의 소원을 허락하였노라" 하심과 다름없는 것이다.

이것은 비단 한 사람의 경험이 아니라, 기도가 삶의 기초가 되는 모든 사람들이 똑같이 증거하는 사실이다. 또한 그들의 생활 속에 한두 번 경험하고 마는 것이 아니라 반복하고 또 반복되어 일어나는 경험인 것이다.

그러면 기도는 행동으로 자리를 양보해야 한다. 하나님은 모세에서 이것을 가르치셨다.

"너는 어찌하여 내게 부르짖느뇨 이스라엘 자손을 명하여 앞으로 나가게 하라"(출 14 : 15).

중국에서 크게 쓰임받은 선교사 고포드(Goforth) 박사가 종종 그의 간구가 응답되었다는 확신을 가졌던 사실에 대해 우리는 별로 놀랄 것이 없다. 그는 "나는 하나님께서 응답하셨음을 알았다. 나는 하나님께서 길을 열어 주시리라는 분명한 확신을 얻었다"라고 했다. 이 사실에 놀라야 할 이유가 어디에 있는가? 주 예수께서 말씀하셨다.

"너희가 나의 명하는 대로 행하면 곧 나의 친구라 이제부터는 너희를 종이라 하지 아니하리니 종은 주인의 하는 것을 알지 못함이라 너희를 친구라 하였노니 내가 내 아버지께 들은 것을 다 너희에게 알게 하였음이니라"(요 15 : 14-15).

주님께서 친구된 우리에게 자기의 계획과 의도를 알게 하시는 것이 놀랄 일이라고 생각하는가?

이제 "하나님께서는 택함받은 소수의 성도들만 이것을 경험하게 하셨는가, 아니면 같은 믿음을 가지고, 자신의 기도가 응답되었다는 확신을 가진 모든 신자들이 경험하게 하셨는가?"

라는 의문이 대두된다.

우리는 하나님께서 인간을 차별하지 않으신다는 것을 알고 있다. 그러므로 하나님을 진실로 믿는 자는 누구나 하나님의 마음과 뜻을 알 수 있음을 안다. 우리가 그의 명령을 지키면 그의 친구이다. 그 명령 중의 하나가 "기도"이다. 우리 주님은 그의 제자들에게 "하나님을 믿으라"고 간곡히 당부하셨다. 그리고는 산더러 들려 바다에 던지우라 할 수 있으며, 만일 믿고 의심치 않으면 그대로 되리라고 하셨다. 그리고 이런 약속을 주셨다.

> "그러므로 내가 너희에게 말하노니 무엇이든지 기도하고 구하는 것은 받은 줄로 믿으라 그리하면 너희에게 그대로 되리라"(막 11 : 24).

이것은 지금까지 이야기해 온 바로 그 경험이다. 이것이 바로 참 기도의 사람이 행하는 일이다. 이런 것은 당연히 불신자들이 이해할 수 없는 것이다. 이런 것은 반만 믿는 자들을 당황하게 하는 것이다.

그러나 주님께서는 자신이 하나님께로부터 보냄을 받으신 것처럼 우리들도 주님의 제자가 되었음을 사람들이 알기를 소원하신다(요 17 : 18, 20 : 21 참조). 우리가 서로 사랑한다면 사람들이 이를 알 것이다(요 13 : 35). 그러나 또 하나의 증거를 대자면, 그것은 "하나님께서 항상 우리 말을 들으시는 것"을 사람들이 눈으로 보는 것이다(요 11 : 42).

어떤 이들은 조지 뮬러(George Müller)의 놀라운 기도 생활을 생각할 것이다. 퀘벡에서 리버풀로 횡단하던 중 그는 뉴욕행이라고 꼬리표가 붙은 의자 하나가 정시에 도착하여 기선을 타게 해달라고 단호하게 기도했다. 그런 후 그는 하나님께서 분명히 그의 기도를 응답하셨다는 확신을 가졌다.

보급선이 승객을 승선시킬 시간 약 30분 전에 화물 취급인이 뮬러에게 아직 의자가 도착하지 않아 정시에 배에 오르지 못하겠다고 전했다. 이때 뮬러 부인은 배멀미가 몹시 심해서 의자가 없으면 배를 탈 수가 없었다. 가까운 상점에 가서 다른 의자를 하나 사라는 주위 사람들의 어떤 권유도 조지 뮬러에게는 전혀 통하지 않았다.

"우리는 이미 하늘에 계신 아버지께서 우리들을 위해 그 의자를 기꺼이 주시기를 특별히 기도했으니, 하나님께서 그렇게 하실 것을 믿을 것입니다"라는 것이 그의 대답이었다.

그리고 그는 자신이 맡긴 물건이 잘못 전달되거나 잘못 배달되지는 않을 거라는 확신을 가지고 갑판 위로 올라갔다. 아니나다를까 보급선이 떠나기 직전 차량 하나가 달려왔는데, 짐꾸러미 맨 꼭대기에 뮬러의 의자가 실려왔던 것이다. 즉시 갑판 위에 옮겨져 조지 뮬러에게 다른 의자를 사오라고 독촉하던 바로 그 사람의 손에 들려졌다. 그가 조지 뮬러에게 그 의자를 넘겨 주었을 때 뮬러는 전혀 놀라지 않았다. 그냥 고요히 모자를 벗고 하늘에 계신 아버지께 감사를 드리는 것이었다.

하나님의 사람 뮬러에게는 이런 기도 응답은 놀라운 것이 아니라 자연스러운 것이었다. 당신은 하나님께서 조지 뮬러의 주변 친구들이나 또 우리들에게 교훈을 주시기 위해, 마지막 순간까지 그 의자를 붙들어 두신 것이라고 생각지 않는가? 우리는 지금까지 그처럼 지체된 사건을 한번도 들어본 적이 없을 것이다.

하나님께서는 하실 수 있는 모든 방도를 써서 우리들이 기도하고 신뢰하도록 하신다. 그러나 우리가 그렇게 하는 것은 얼마나 느린가! 믿음의 부족과 기도의 부족 때문에 얼마나 많은 것을 잃는가! 기도의 응답을 얻을 수 있는 기도의 방법을 알지 못하는 사람은 결코 하나님과 진정하고 깊은 교제를 할 수 없다.

하나님께서 기꺼이 시험받기 원하신다는 데 대해 의문이 있다면 노르 스크립(*Nor Scrip*)이라는 작은 책을 읽어 보기 바란다. 그 책에서 에미 윌슨 카미카엘(Amy Wilson Carmichael)은 자기가 어떻게 여러 번 하나님을 시험해 보았는가를 말해 주고 있다. 독자들은 그 책에서 그녀가 그렇게 하게 된 것은 결코 우연이 아니었다는 인상을 받게 될 것이다. 분명히 하나님의 손이 그 안에 있었던 것이다.

예컨대, 한 힌두교 아동을 종교적인 치욕의 삶으로부터 견지는 데는 1백 루피(rupee, 1루피는 100센트-역자 주)를 투자해야 했다. 그녀가 그렇게 하는 것이 정당했을까? 그녀는 이 금액으로 많은 소녀들을 도울 수 있었다. 이 금액이 한 사람에게 쓰여져야만 하는가? 윌슨 카미카엘은 만일 그렇게 돈을 쓰는 것이 하나님의 뜻이라면, 하나님께서 더도 덜도 아닌 꼭 1백 루피를 보내 주시기를 기도할 충동을 느꼈다. 정확한 액수의 돈이 왔다. 그 돈을 송부한 사람은 끝자리가 붙은 액수의 수표를 쓰려고 하였으나 꼭 1백 루피만을 써야 되겠다는 강압감을 받았다고 설명을 덧붙였다.

이 일이 있은 이후 15년 동안 이 선교사는 누차 하나님을 시험하여 왔는데 그때마다 하나님은 결코 그녀를 실망시키지 않으셨다. 그녀는 이렇게 말했다.

"과거 15년간 단 한번도 지불하지 못한 돈이 없었고, 다른 이들에게 도움이 필요하다고 입을 연 적이 없었다. 그러나 한번도 좋은 일에 부족한 적이 없었다. 구하기만 하면 될 수 있다는 것을 보여 주시기라도 하는 듯 25파운드가 전보로 직송되지 않았던가! 때로는 기차역의 왁자지껄한 무리 속에서 어떤 사람이 불쑥 나타나 절대 필요한 액수의 돈을 손에 쥐어 주고는 누구인지 채 확인도 하기 전에 군중 속으로 사라져 버리는 일도 있었다."

놀라운 일이 아닌가! 놀랍도다! 그러기에 사도 요한은 성령으로 무엇이라고 말했던가?

"그를 향하여 우리의 가진 바 담대한 것이 이것이니 그의 뜻대로 무엇을 구하면 들으심이라 우리가 무엇이든지 구하는 바를 들으시는 줄을 안즉 우리가 그에게 구한 그것을 얻은 줄을 또한 아느니라"(요일 5 : 14 - 15).

이 담대함을 가지고 있는가? 없다면 그 이유는 무엇인가? 이것을 놀랍다고 한다면 우리의 믿음이 적은 것이다. 기도에 응답하시는 것이 하나님에게는 당연한 일이다. 정상이지 이상한 것이 아니다. 사실은 우리들 중에 너무나 많은 사람들이 하나님을 믿지 않는다. 이에 대해 아주 정직하고 솔직하자. 우리는 이 점에 대해 정직해야 할 것이다.

만일 우리가 하나님을 사랑한다면 기도해야 한다. 왜냐하면 하나님께서 기도하기를 원하시고 또 기도하라고 명령하시기 때문이다. 만일 우리가 하나님을 믿는다면 기도하지 않을 수 없기 때문에, 즉 기도 없이는 살 수 없기 때문에 기도하게 될 것이다.

그리스도인 형제들이여, 여러분들은 하나님을 믿고 신뢰하지만(요 3 : 16), 그를 믿는 그리스도인의 생활, 즉 그가 하시는 말씀 전부를 믿는 것이 충분히 성장해 있는가? 그러한 질문은 그리스도인에게 모독적인 말이 아닌가? 그러나 과연 몇 명이나 하나님을 믿고 있는가? 하나님이여 우리를 용서하옵소서! 하나님의 말씀을 신뢰하기보다 동료의 말을 더 잘 믿는 일이 없었던가? 어떤 사람이 하나님을 믿을 때 그 사람 안에서 그리고 그 사람을 통해 하나님은 어떤 기적의 은혜를 베풀어 주셨던가?

신약성경에서만도 "아브라함이 하나님을 믿으매"라고 세 차례(롬 4 : 3 ; 갈 3 : 6 ; 약 2 : 23)나 기록되어 있는, 아브라함만큼 많은 민족으로부터 숭앙과 존경을 받은 사람은 결코 없다. 그렇다.

"아브라함이 하나님을 믿으매 이것이 저에게 의로 여기신 바 되었느니라"(롬 4 : 3).

오늘날 전세계의 그리스도인들은 자기 이름을 떨치려고 서로 경쟁하고 있다. 우리는 그리스도 예수를 믿는 모든 사람들이 "나는 하나님을 믿노라. 그리고 그 믿음 위에서 행동하겠노라"(행 27 : 25 참조)고 말할 수 있을 때까지 결코 쉬지 말기를 간곡히 바라 마지않는다.

그러나 하나님을 시험하는 문제를 마치기 전에 하나님께서는 이따금씩 자기를 시험하도록 유도하신다는 점을 지적하고자 한다. 때때로 윌슨 카미카엘이 보기에는 필요가 없는 일들을 위해 기도하도록 하나님께서 마음을 이끄셨다고 한다. 그녀는 성령에 의해 간구하도록 강요당한 것이었다. 그 사건들이 응답을 받았을 뿐만 아니라 측량할 수 없는 은혜임이 여실히 증명되었다.

그렇다. 하나님은 우리가 원하든 원치 않든 우리가 구하기 전에 우리에게 무엇이 필요한가를 다 알고 계신다(마 6 : 8). 하나님께서는 "내가 결코 너를 실패케 하지 않으리라"고 말씀하지 않으셨던가? (시 66 : 9 참조)

때로는 윌슨 카미카엘에게도 특별한 필요를 타인에게 알려야 되는 시험이 닥치곤 했다. 그러나 "내가 아노니 그것이 족하도다" 하시는 하나님의 역력한 음성이 그녀의 마음 깊이 확신되어 오는 것이었다. 그리하여 하나님이 영광을 받으셨다. 전쟁으로 시련을 겪던 때에는 이교도들 입에서도 "저희들의 하나님이 저희들을 먹여 주신다"는 말이 나오게 되었다. 어느 세속적인 불신자도 "당신들의 하나님이 기도를 들어주신 것은 전세계가 다 아는 바가 아닙니까?"라고 말했다.

그들의 단순한 믿음으로 하나님께서 얼마나 영광을 받으셨던가! 왜 우리는 하나님을 믿지 못하는가? 어찌하여 하나님의 말씀을 그대로 받아들이지 않는가? 신자이든 불신자이든 우리에게 "당신의 기도가 응답되는 것을 알고 있습니다"라고 말하는 사람이 한번이라도 있었던가?

온 세계 선교사들이여 들으라! (이 말이 모든 사람들의 귀에 들려 모든 사람들의 마음을 분발시켰으면 한다.) 우리 모두가 이제까지 말한 그 헌신적인 선교사와 똑같은 강력한 믿음을 소유해야 한다는 것이 하나님과 우리 주 예수 그리스도의 간절한 소망이다.

사랑하는 아버지께서는 자신의 자녀가 한 순간이라도 염려나 채워지지 않은 필요 가운데 있기를 원치 않으신다. 우리가 필요한 것이 아무리 크다 해도 또한 우리의 요구가 아무리 많다 할지라도, 하나님께서 명하신 대로 "하나님을 시험"하기만 하면 하나님께서 주시는 모든 축복을 쌓을 곳이 없을 것이다(말 3 : 10).

주께 고함 없는 고로
복을 얻지 못하네
사람들이 어찌하여
아뢸 줄을 모를까(찬송가 487장).

기도하면서도 하나님의 말씀을 믿지 않기 때문에 응답받지 못할 수도 있다. 하나님을 신뢰하는 것이 왜 그리 힘들까? 하나님께서 우리를 실망시키신 적이 있는가? 하나님께서 "주의 이름으로" 간구하는 순전한 마음의 기도를 응답해 주시겠다고 여러 번이나 누누이 말씀하시지 않았는가? "내게 구하라", "기도하라", "나를 시험하라", "나를 확증하라", 성경은 기도의 응답－놀라운 응답들, 기적적인 응답－으로 가득 차 있다. 그런데도 어찌하여 믿지 못할까? 왜 하나님을 불신하여 그를 욕되게 하는가?

만일 우리에게 순수한 믿음이 있다면
그의 말씀 그대로 믿어야 한다.

그러면 우리 주님의 부요하심 가운데
우리의 삶이 해같이 빛나리라.

그러나 우리의 눈이 순전해야 우리의 믿음이 단순해지고 "온
몸이 밝을 수" 있다(마 6 : 22). 그리스도께서 유일한 주인이
어야 한다. 만일 우리가 하나님과 재물을 겸하여 섬기려고 한
다면 염려에서 해방될 것을 기대할 수 없다(마 6 : 24-25).
다시 승리의 생활로 되돌아가야 한다. "우리 몸을 하나님이 기
뻐하시는 거룩한 산 제물로 드릴 때"(롬 12 : 1), "우리 지체를
의에게 종으로 드려 거룩함에 이를 때"(롬 6 : 19) 하나님께서
는 자신을 우리에게 주셔서 하나님의 모든 충만하심으로 우리를
충만케 하신다(엡 3 : 19).

참믿음이란 하나님께서 기도 응답을 하실 수 있으실 뿐 아
니라 실제로 응답하심을 믿는 것임을 항상 명심하자. 우리가
혹시 기도에 나태할지라도 하나님은 그의 약속 이행을 태만히
하시지 않는다(벧후 3 : 9). 이것이 충격적인 표현이 아닌가?

도나부(Dohnavur) 선교사가 하나님을 시험했던 놀라운 일을
들어보자.

인근 언덕 위에 휴양소를 하나 구입하는 문제가 대두되었다.
그 일이 올바른 것일까? 오직 하나님만 결정하신다. 많은 기
도가 있었다. 마침내 만일 그 집을 구입하는 것이 하나님의 뜻
일진대 정확하게 100파운드의 돈을 공급해 달라는 기도를 드
리게 되었다. 그 금액이 즉시 공급되었다. 그러나 그들은 여전히
망설였다.

두 달 후에, 다시 그 집을 구입하는 것이 하나님께서 찬성하
시는 것인지 전과 똑같은 표적을 달라고 하나님께 기도했다.

바로 그날 100파운드의 수표가 또 들어왔다. 그래도 그들은 일을 진척시키기를 주저했다. 그러나 며칠 안 되어 100파운드의 수표가 들어왔다. 그러한 집을 사라는 지정 기탁 표시가 되어 있었다.

우리 주님께서 그토록 친절하심을 생각할 때 기쁨이 마음에 강같이 흐르지 않는가? 우리에게 하나님은 인자로우신 분이라고 일러준 사람이 의사인 사도 누가이다(눅 6 : 35). 사랑은 항상 친절하다(고전 13 : 4). 하나님은 사랑이시다. 이것이 우리의 기도에 도움을 줄 것이다. 하나님은 우리의 믿음이 머뭇머뭇할 때 오래 참고 기다리신다.

  "하나님이여 주의 인자하심이 어찌 그리 보배로우신지요"
  (시 36 : 7).
  "주의 인자가 생명보다 나으니이다"(시 63 : 3).

위험한 것은 기도에 대한 그런 순수한 믿음을 읽고 "정말 놀랍구나!" 하면서도 하나님께서 우리 각자에게 그와 같은 믿음과 기도를 기대하고 계신다는 것을 망각해 버리는 일이다. 하나님은 차별하지 않으신다. 하나님은 내가 기도하기를 원하신다. 또한 당신이 기도하기를 원하신다. 하나님은 상기한 바와 같은 이런 일들이 일어나게 하시며, 이것을 우리가 알고 놀라지 않고 자극을 받기까지 기다리신다.

때때로 사람들은 그리스도인들이 기도에 대하여 울타리를 치는 모든 인간적인 방법을 깨끗이 잊기를 바란다. 어린아이처럼 단순하자, 솔직하자. 하나님의 말씀을 받아들이라. 우리 구주 하나님의 자비와 사람 사랑하심이 나타났음을 기억하자(딛

3 : 4). 하나님은 가끔 사람들을 기도의 생활로 인도하신다. 그러나 때때로 하나님은 우리들을 이런 기도의 생활로 몰아넣으셔야 할 때도 있다.

우리가 비교적 기도가 없었던 과거 생활을 회고하면서, 그리스도의 사랑과 오래 참으심을 생각할 때 놀라움과 기쁨에 전율하게 된다(살후 3 : 5). 그것 없이 어디서 살 수 있겠는가? 우리는 하나님을 실망시켰지만 하나님께서는 결코 우리를 실망시키지 않으셨다. 앞으로도 결코 그러지 않으실 것이다. 우리는 하나님을 의심하고 그의 사랑과 그의 섭리와 그의 인도하심을 신뢰하지 못했다. 따라서 우리는 피곤했고, 불평했다. 그러나 하나님께서는 항상 우리에게 쌓을 곳이 없이 풍성한 축복을 부어 주시려고 기다리고 계신다.

하나님의 약속은 지금도 계속된다. "내 이름으로 무엇을 구하든지 내가 시행하리니 이는 아버지로 하여금 아들을 인하여 영광을 얻으시게 하려 함이라 내 이름으로 무엇이든지 내게 구하면 내가 시행하리라"(요 14 : 13-14).

기도는 일을 변화시킨다
그러나 보고 느끼기까지
얼마나 방황하고 지체했던가!
그 모든 축복은 찾아오도다
그 분을 신뢰하는 그들에게.

그러나 지금부터는 하나님을 믿을 것이다.

제 5 장

기도란 무엇인가?

한번은 무디 선생이 에딘버러에서 많은 어린이들이 모인 가운데 설교를 하게 되었다. 주의를 끌기 위해 먼저 질문을 던졌다.

"기도란 무엇이지요?"

그는 아무도 대답하지 못할 것을 예상하며 직접 그 답을 말해 주려고 했다. 그런데 놀랍게도 장내 여기저기서 수십 개의 작은 손들이 솟아올랐다. 그는 한 남자 아이를 지적했다. 그 아이는 즉시 분명하고도 정확하게 대답했다.

> "기도란 예수 그리스도의 이름으로 우리의 죄를 고백하고 하나님의 자비하심을 감사함과 아울러 하나님의 뜻에 맞추어 우리의 소원을 하나님께 올리는 것입니다."

무디 선생은 기뻐하면서 "소년이여, 네가 스코틀랜드에서 태어남을 하나님께 감사하라"고 했다. 이 일은 이미 오래전의 일이다. 그가 오늘날 질문한다면 무슨 대답을 들을까? 우리 어린이들 몇 사람이 그처럼 분명한 대답을 할 수 있을까? 잠시 생각해 보고 당신 자신의 대답을 제시해 보기 바란다.

기도는 무엇을 의미하는가? 나는 절대 다수의 그리스도인들이 "기도란 하나님께 요구하는 것"이라고 말하리라 믿는다. 그러나 분명히 기도는 누구의 말처럼 "하나님이 우리의 심부름을 하게 하는 것" 이상의 것이다. 그것은 거지가 부잣집 대문을 두드리는 것보다 차원 높은 것이다.

기도라는 말은 실은 "방향이 설정된 소원"을 의미한다. 그 방향이란 하나님을 향한다. 진정한 기도는 모두 하나님 자신을 찾는다. 왜냐하면 하나님에게서 우리에게 필요한 모든 것을 얻을 수 있기 때문이다. 기도는 순수히 우리의 "영혼을 하나님께 돌리는 것"이다. 다윗은 이 점을 "산 영혼이 산 하나님을 우러러보는 것"으로 묘사하였다.

"여호와여 나의 영혼이 주를 우러러보나이다"(시 25 : 1).

이 얼마나 아름다운 설명인가? 우리가 주 예수님께서 우리의 영혼을 살피시기를 소원할 때 또한 성결의 아름다움이 우리에게 임하기를 소원한다. 우리가 기도로 하나님께 우리의 영혼을 들어 올릴 때, 하나님께서는 우리 안에서 그리고 우리와 함께하시기 원하는 일을 할 기회를 가지게 된다. 그것은 우리 자신을 하나님의 처분에 맡기는 것이다. 하나님은 항상 우리 편이시지만 우리는 항상 하나님 편이 되지 못한다. 사람이 기도할 때가 하나님께서 일하실 기회이다. 시인은 이와 같이 묘사하고 있다.

> 입벌려 말하든, 입 다물어 침묵하든
> 기도는 영혼의 간절한 소원,
> 가슴 속에 떨리고 있는
> 숨은 불꽃의 움직임.

옛날 유대의 한 신비주의자는 "기도는 하늘과 땅이 서로 입 맞추는 순간이다"라고 하였다.

따라서 기도는 우리가 원하는 것을 하나님이 하시도록 설득시키는 것이 아니다. 하기 싫어하시는 하나님의 뜻을 굽혀 우리의 뜻에 맞추게 하는 것이 아니다. 하나님의 능력을 얻을 수 있을지는 몰라도 하나님의 목적을 변화시킬 수는 없다.

트렌치(Trench) 대주교는 "우리는 기도를 하나님이 싫어하시는 것을 꺾는 것이 아니라 하나님의 지고한 뜻을 붙잡는 것이라고 생각해야 한다"라고 말했다.

하나님은 언제나 우리에게 가장 좋은 것을 원하신다. 무지와 맹목 가운데 드려진 기도라도 하나님을 거기서 벗어나게 할 수 없다. 혹시 해로운 것을 끈질기게 기도하여 우리의 뜻하는 바를 얻고, 결국 해를 당하게 되기는 해도 말이다.

시편 기자는 "여호와께서 저희의 요구한 것을 주셨을지라도 그 영혼을 파리하게 하셨도다"(시 106 : 15)라고 하였다. 그들은 이 "파리함"을 자초했다. 그들은 응답된 기도로 오히려 저주를 받은 것이다.

어떤 사람들은 기도란 비상사태만을 위해 있는 것으로 생각한다. 그들은 위험이 닥쳤을 때, 질병이 왔을 때, 물질이 궁핍할 때, 난관에 부딪혔을 때, 그제서야 기도한다. 마치 탄광 속에 들어간 불신자가 천정이 무너져 내릴 때면 그때서야 기도하는 것과 같다. 옆에 섰던 한 나이든 그리스도인이 조용히 한마디 하기를 "인간으로 하여금 기도하게 만드는 것 중에 석탄덩이만 한 것도 없는가 보구나!"라고 말했다.

그러나 기도는 하나님께 무엇을 구하는 것 훨씬 이상의 것이다. 물론 구하는 것이 우리로 하여금 우리가 완전히 하나님을 의존하고 있음을 깨닫게 하는 한 매우 귀한 일이다. 기도는 또한 하나님과 더불어(하나님에게만이 아니라) 이야기함으로써 하나님과 교제하는 것이다. 우리들은 타인과 대화함으로써 그들을 알게 된다. 하나님도 이와 마찬가지 방법으로 알게 된다. 기도의 가장 큰 효과는 악에서 건짐을 받거나 귀한 것을 얻는 데 있지 않고, 하나님을 아는 데 있다.

> "영생은 곧 유일하신 참 하나님과 그의 보내신 자 예수 그리스도를 아는 것이니이다"(요 17 : 3).

그렇다. 기도는 하나님을 더 깊이 발견하는 것이며, 그것은 우리 영혼의 가장 큰 발견이다. 사람들은 여전히 외친다.

> "내가 어찌하면 하나님 발견할 곳을 알꼬 그리하면 그 보좌 앞에 나아가리라"(욥 23 : 3).

무릎으로 사는 그리스도인들은 항상 하나님을 발견하며 또 하나님께 발견된다. 하늘에서 비친 주 예수님의 환상은 다메섹

길에 오른 다소 사람 사울의 눈을 멀게 했다. 그러나 후에 그는 예루살렘 성전에서 기도하는 가운데 비몽사몽간에 예수님을 보았다고 말하고 있다.

"내가……보매 주께서……"(행 22 : 17 - 18).

그때 그리스도께서는 그에게 이방인에게로 가라는 큰 사명을 부여하셨다. 환상은 언제나 소명과 모험의 전조이다. 이사야도 그랬다.

"내가 본즉 주께서 높이 들린 보좌에 앉으셨는데 그 옷 자락은 성전에 가득하였고"(사 6 : 1).

이사야 선지자는 이 사건이 일어날 때 분명히 성전에서 기도하고 있었다. 이 환상도 역시 사역을 위한 부르심의 서막이었다. 우리는 기도 없이는 하나님의 환상을 볼 수 없다. 그리고 환상이 없는 곳에서는 영혼이 죽어간다.

하나님의 환상! 브라더 로렌스(Brother Lawrence)는 "기도는 바로 하나님의 임재의 체험이다"라고 말했다(*The Practice of the Presence of God*, 하나님과 동행하는 생활 - 본사 역간). 즉 기도는 하나님의 임재를 실습하는 것이다.

하나님의 사람 호레이스 부쉬넬(Horace Bushnell)이 기도할 때 그의 친구가 함께 있었다. 그 친구에게 하나님께서 가까이 다가오셨다는 놀라운 느낌이 밀려왔다. 그는 "호레이스 부쉬넬이 그의 양손에 얼굴을 파묻고 기도할 때, 내 손이 하나님에게 닿을까 두려워서 어둠 속에 손을 내어 뻗을 수가 없었다"라고 말했다. 옛날 시편 기자가 "나의 영혼아 잠잠히 하나님만 바라라"(시 62 : 5)고 했을 때 이런 것을 의식하지 않았겠는가?

우리가 기도에 실패하는 이유 대부분은 "기도가 무엇인가?"라는 질문을 해결하지 못했기 때문이라고 믿는다. 우리는 항상 하나님의 임재 가운데 있음을 의식하는 것은 좋은 일이다. 하나님을 경배하는 가운데 그를 응시하는 것은 더 좋은 일이다. 하나님과 친구처럼 교제하는 것은 가장 좋은 일이다. 이것이 곧 기도이다.

최고의 최선으로 드리는 진정한 기도에서는 우리 영혼이 하나님을, 오직 하나님만을 갈망한다. 진정한 기도는 위에 있는 것들에 애착을 두는 사람들의 입술로부터 나온다.

기도의 사람 진젠도르프(Zinzendorf)가 그런 사람이었다. 왜 그런가? 그는 선물보다는 오히려 선물을 주시는 자를 구했다. 그는 말하기를 "나는 열렬히 사랑하는 분이 있다. 그 분은 하나님, 하나님뿐이시다"라고 했다.

모하메드 교인도 이와 같은 사상을 표현하고 있는 것 같다. 그들은 기도에는 세 차원이 있다고 말한다. 가장 저차원의 기도는 입술로만 하는 기도이고, 다음은 굳은 결심에 의한 노력으로 우리의 생각을 하늘의 것에 고정시키는 일에 성공할 때이며, 가장 고차원의 기도는 영혼이 하나님께로부터 떠날 수 없음을 발견할 때라는 것이다.

물론 우리는 하나님께서 우리에게 "구하라"고 명령하신 것을 알고 있다. 우리는 하나님께 순종한다. 기도가 하나님을 기쁘시게 하고 우리의 모든 필요한 것을 공급해 줄 것을 확신하고 안심하고 있을 수도 있다. 그러나 누구든지 자기 아버지의 선물을 원하면서 그의 아버지가 나타나기만을 기다린다면 이상한 자녀가 아니겠는가? 우리 모두는 단순한 간구의 차원을 넘는 높은 차원에 이르기를 열망하지 않겠는가? 어떻게 하면 가능할까?

내가 보건대 단 두 단계만 필요하다. 두 가지 생각이라고도 할 수 있을 것이다. 무엇보다도 첫째는 하나님의 영광을 자각해야 하고, 그 다음은 하나님의 은총을 깨달아야 한다. 우리는 가끔 다음과 같이 노래한다.

　　은혜와 영광이 넘치는 주님
　　내 맘에 충만 충만히 부어 주소서.

어떤 사람들은 하나님의 영광이 기도와 무슨 관계가 있느냐고 물을지도 모르지만, 위와 같은 소원은 결코 허황된 것이 아니다.

우리의 기도 대상이 어떤 분인지 생각하는 것이 당연하지 않겠는가? 아래 두 시구(詩句)에는 논리가 있다.

　　그대는 왕에게 나아간다
　　큰 소원을 품고.

우리 가운데 하나님의 지극히 위대한 영광을 깊이 생각하고 경탄하면서 상당한 시간을 소요하는 사람이 있다고 생각하는가? 우리 가운데 "은혜"라는 말의 완전한 의미를 이해하고 있는 사람이 있다고 생각하는가? 우리의 기도가 때때로 너무 효험이 없고 무력한 것은—비록 기도도 하지 않을 때가 있지만—우리가 하나님의 위엄과 영광을 생각하지 않고 무작정 나아가기 때문이 아닌가? 또 우리가 가까이 하기 원하는 예수 그리스도 안에 있는 그의 영광의 풍성함을 묵상하지 않기 때문이 아닌가? 우리는 하나님을 최고로 생각해야 한다.

그렇다면 이제 우리는 우리의 소원을 하나님 앞에 내놓기 전에 먼저 하나님의 영광과 그의 은혜를 깊이 묵상해야 한다고 할 수 있다. 이는 하나님께서 이 양자를 우리에게 베푸시기 때문이다.

우리의 영혼은 하나님을 바라봐야 한다. 말하자면 우리 자신들을 하나님의 존전에 내어 놓고, 우리의 기도를 만왕의 왕이요 만유의 주시요 "오직 그에게만 죽지 아니함이 있고 가까이 가지 못할 빛에 거하시고……존귀와 영원한 능력이 있는"(딤전 6 : 16) 하나님께 직고하자는 것이다. 그의 지극히 큰 영광을 위하여 하나님께 경배와 찬양을 돌리자는 것이다. 성별만으로는 부족하다. 경배가 있어야 한다.

"거룩하다 거룩하다 거룩하다 만군의 여호와여 그 영광이 온 땅에 충만하도다"(사 6 : 3)라고 스랍들은 창화하였다. 허다한 천군이 천사와 함께 "지극히 높은 곳에서는 하나님께 영광이요"(눅 2 : 14)라고 찬송하였다. 그런데 어떤 이들은 발에서 신 벗는 일(출 3 : 5)도 채 끝내지 않고 하나님과 교제하려 하고 있다.

입술마다 "하나님 자비를 베푸소서"
하지만 "하나님 찬양받으소서"는 없도다.

오라, 하나님께 경배하자!
우리는 담대하게 하나님의 영광으로 나아갈 수 있다. 주님께서는 그의 제자들이 주의 영광을 보게 해 달라고 기도하지 않았던가?(요 17 : 24) 왜? 왜 온 땅이 주의 영광으로 가득 찼는가? 망원경은 하나님의 무한하신 영광을 보여 준다. 현미경은 하나님의 극치의 영광을 포착해 낸다. 우리의 육안으로도 풍경과 햇빛, 그리고 바다와 하늘에서 뛰어난 영광을 볼 수 있다. 이 모든 것은 무엇을 의미하는가? 이것들은 다만 하나님의 영광의 일부에 불과할 뿐이다.

주님께서 "아버지여……아들을 영화롭게 하사……나를 영화롭게 하옵소서"(요 17 : 1-5)라고 기도하신 것은 자기 영광을 추구하신 것이 아니다. 사랑하는 주님께서는 우리가 그의 무한한 신뢰성과 능력을 깨달음으로써 우리가 단순한 믿음과 신뢰로 주께 나아갈 수 있게 되기를 원하신 것이다.

그리스도의 초림을 예고하시면서 이사야 선지자는 "영광이 나타나고 모든 육체가 그것을 함께 보리라"(사 40 : 5)고 선언하였다. 이 영광을 어느 정도 체험해야 바른 기도를 할 수 있다. 그래서 주님께서는 "너희는 이렇게 기도하라 하늘(영광의 세계)에 계신 우리 아버지 이름이 거룩히 여김을 받으시오며"(마 6 : 9)라고 하셨다. 두려움과 의심을 추방하는 데는 영광을 아는 것이 최고이다.

우리는 간구 드리기 전에 옛날 성도들이 부른 찬미를 부름으로써 먼저 우리의 경배를 드리는 것이 기도에 도움을 주지 않겠는가? 일부 신령한 영혼들은 이런 도움이 필요하지 않을 것이다.

앗시시의 프란시스(Francis)가 아베르노 산 위에서 한두 시간씩 기도하는 일이 자주 있었는데, 그의 입에서 가끔씩 튀어나온 말은 "하나님"이라는 말뿐이었다고 한다. 그는 경배로 시작하고 경배로 끝냈던 것이다.

그러나 우리들 대부분은 어떤 도움을 받아 보이지 않는 하나님의 영광을 깨달아야 비로소 올바로 찬양하고 경배할 수 있다. 윌리엄 로우(William Law)는 "기도를 시작할 때 하나님의 위대하심과 능력을 실감하게 해줄 수 있도록 하나님의 속성들에 대한 표현을 사용하라"고 하였다.

이 점이 너무나 중요하기 때문에 감히 독자들에게 조언하는 바이다. 어떤 사람들은 매일 기도를 시작할 때 하늘을 쳐다보며 "성부와 성자와 성령께 영광이 있을지어다"라고 말하기도 한다. "오 지극히 거룩하신 주 하나님, 오 전능하신 주여, 오 거룩하시고 자비로우신 구주시여!" 이와 같은 기도는 종종 신령한 경외심과 거룩한 경배를 드릴 마음을 충분히 불러일으킨다. 성찬 예식의 숭고함은 최상의 영광이다.

> "지극히 높은 곳에서는 하나님께 영광, 땅에서는 평화. 오, 주 하나님. 하늘에 계신 왕, 전능하신 아버지 하나님, 하나님의 크신 영광을 찬양하며 찬송하나이다. 하나님을 경배하며 영광을 돌리며 감사를 드리나이다."

우리 중에 누가 이런 찬양을 드리면서도, 전능하신 주 하나님의 임재와 놀라우신 위엄을 의식하지 못한 채 덤덤하게 있을 수 있겠는가? 다음 찬송은 이와 같은 목적에 도움이 된다.

빛나고 높은 보좌와
그 위에 앉으신
주 예수 얼굴 영광이

해같이 빛나네
해같이 빛나네
지극히 높은 위엄과
한없는 자비를
뭇 천사 소리 모아서
찬송을 드리네
찬송을 드리네(찬송가 27장).

이 찬송은 우리를 바로 저 하늘 영광으로 끌고 간다. 다음 가사도 그렇다.

거룩, 거룩, 거룩
전능하신 주여
천지 만물 모두
주를 찬송합니다(찬송가 9장).

우리는 자주 "내 영혼이 주를 찬양하며 내 마음이 하나님 내 구주를 기뻐하였나이다"(눅 1 : 46-47)라고 외칠 필요가 있다. "내 영혼아 여호와를 송축하라 내 속에 있는 것들아 다 그 성호를 송축하라"(시 103 : 1)고 했던 시편 기자의 정신을 포착할 수 있는가? 또한 "내 영혼아 여호와를 송축하라 여호와 나의 하나님이여 주는 심히 광대하시며 존귀와 권위를 입으셨나이다"(시 104 : 1)라는 노래의 정신을 파악할 수 있는가? 언제이면 "그 전에서 모든 것이 말하기를 영광이라 하도다"(시 29 : 9)라는 말씀을 나의 말로 배울 수 있을는지? 우리도 영광을 부르짖자!

이러한 경배와 송축과 찬양과 감사는 우리에게 깊은 기도의 영을 줄 뿐만 아니라 신비한 방법으로 하나님께서 우리를 위해 역사하시도록 돕는다.

"감사로 제사를 드리는 자가 나를 영화롭게 하나니 그 행위를 옳게 하는 자에게 내가 하나님의 구원을 보이리라"(시 50 : 23) 하신 놀라운 말씀을 기억하고 있는가?

찬송과 감사는 바로 내가 하나님께 나아갈 수 있도록 하늘 문을 열어 줄 뿐만 아니라 하나님께서 나를 축복하실 수 있는 길을 예비한다. 사도 바울은 "쉬지 말고 기도하라" 하기 전에 "항상 기뻐하라"고 했다. 그러므로 우리의 찬송도 기도와 마찬가지로 중단되어서는 안 된다.

나사로를 살리실 때 주님의 기도는 감사로 시작되었다. "아버지여 내 말을 들으신 것을 감사하나이다"(요 11 : 41).

주님께서 이 말씀을 하실 때는 둘러선 무리가 다 들을 수 있게 하셨다. 바로 우리가 듣도록 하신 말씀이다.

당신은 아마 우리가 기도의 무릎을 꿇을 때마다 왜 하나님의 영광을 특별히 감사드려야 하며, 왜 그의 영광을 묵상하고 응시하는 데 많은 시간을 보내야 하는지 의아스럽게 생각할 것이다. 하나님은 영광의 왕이 아니신가? 하나님 자신과 하나님이 하시는 일 전부가 곧 영광이다. 그의 거룩함이 영광스러우며(출 15 : 11), 그의 이름이 영화롭다(신 28 : 58). 그의 행사가 영화로우며(시 111 : 3), 그의 능력이 영광스럽다(골 1 : 11). 또 그의 목소리가 영광스럽다(사 30 : 30).

아름답고 멋진 모든 것들
크고 작은 모든 피조물들
신기하고 놀라운 만물
주 하나님이 모두 지으셨도다.

"이는 만물이 주에게서 나오고 주로 말미암고 주에게로 돌아감이라 영광이 그에게 세세에 있으리로다 아멘"(롬 11 : 36). 기도로 자기에게 나아오라고 명하신 분이 바로 이 하나님이시다. 이 하나님이 바로 우리의 하나님이시며 그가 인생에게서 선물을 받으셨다(시 68 : 18). 하나님께서는 무릇 그의 이름으로 일컫는 모든 사람을 그의 영광을 위해 창조하셨다고 말씀하신다(사 43 : 7). 하나님의 교회도 영광스러운 교회가 되어 거룩하고 흠이 없어야 한다(엡 5 : 27).

우리가 주님 안에서 발견한 그 영광을 주님께서는 우리와 함께 나누시고자 갈망하신다는 것을 충분히 실감해 본 적이 있는가? 이것이 당신과 나 곧 그의 구속하심을 받은 자들을 위한 위대한 선물이다.

우리가 하나님의 영광을 많이 얻으면 얻을수록 그것을 적게 구한다는 것은 사실이다. 주님께서 임하시사 성도들에게서 영광을 얻으실 그날(살후 1 : 10)에만 우리의 영광이 나타나는 것은 아니다. 바로 오늘—지금 여기에서도 우리의 영광이 있는 것이다. 주님은 우리가 주님의 영광에 참예하는 자가 되기를 원하신다. 주님 자신이 그렇게 말씀하시지 않았는가? "내게 주신 영광을 내가 저희에게 주었사오니"(요 17 : 22)라고 선언하신다.

하나님의 명령이 무엇인가? "일어나라 빛을 발하라 이는 네

빛이 이르렀고 여호와의 영광이 네 위에 임하였음이니라." 아니 이보다 한 걸음 더 나아가 "그 영광이 네 위에 나타나리니"라고 영감받은 선지자는 선포하였다(사 60 : 1-2).

하나님께서는 사도 베드로가 옛날 제자들에게 일러 준 말과 같이 사람들을 통해 우리들에게 말씀하시곤 하신다.

"영광의 영 곧 하나님의 영이 너희 위에 계심이라"(벧전 4 : 14).

이것이 대부분의 우리 기도에 대한 응답이 아니겠는가? 그 이상 무엇을 구할 수 있겠는가? 어떻게 하면 이 영광을 얻을 수 있는가? 어떻게 그 영광을 나타낼 수 있겠는가? 기도뿐이다. 기도할 때, 성령께서는 그리스도의 것을 가지고 우리에게 나타내 주신다(요 16 : 15).

모세가 기도하면서 "원컨대 주의 영광을 내게 보이소서"(출 33 : 18) 하였을 때, 그 영광의 일부를 보았을 뿐만 아니라 그 영광에 참예한 바 되어 그 자신의 얼굴에서 광채가 발하였다(출 34 : 29). 우리도 예수 그리스도의 얼굴에 있는 하나님의 영광을 응시할 때(고후 4 : 6), 그 영광의 광채를 볼 뿐만 아니라 우리 자신들도 그 영광의 광채를 얻게 될 것이다.

이것이 기도이며 기도로 얻는 최고의 것이다. 하나님께서 우리 안에서 영광을 받으실 수 있는 다른 비결은 없다(사 60 : 21).

자주 그리스도의 영광을 묵상하고 응시하자. 그리하여 그 영광을 반사하고 받자. 이것이 주님의 초대 제자들에게 나타났던 것이다. 그들은 떨리는 목소리로 "우리가 주님의 영광을 보았노라"고 말했다.

그렇다. 그 다음에는 어떻게 되었는가? 불학 무식하며 비천한 신분의 어부들이 잠시 그리스도의 동반자가 되어 주님의 영광을 보았다. 보라! 그들도 그 영광을 얻었다. 그 후에 다른 사람들은 놀라며 그들이 예수와 함께 있었던 것을 알게 되었다 (행 4 : 13).

우리가 사도 요한처럼 "우리의 사귐은 아버지와 그 아들 예수 그리스도와 함께함이라"(요일 1 : 3)고 선언할 때, 사람들은 우리를 보고 "그들은 예수와 함께 있던 자들이라"고 동일한 말을 할 것이다.

우리가 기도로 영혼을 살아 계신 하나님께 향하게 하면, 마치 꽃이 햇빛을 받아 아름답게 피는 것과 같이 우리도 거룩한 아름다움을 얻게 될 것이다.

주님께서도 기도하실 때 그 모습이 변화하지 않았던가? 우리 삶에서 기도가 정상적인 자리를 차지할 때 우리의 "외모"가 바뀔 것이며 우리들의 "변화산"에 오를 것이다. 그리고 사람들은 우리 얼굴에서 "내적이고 영적인 은혜에서 오는 외적이고 가시적인 표"를 보게 될 것이다. 하나님과 인간에 대한 우리의 가치는 우리가 하나님의 영광을 사람들에게 나타내는 정도에 정비례한다.

우리가 기도하는 대상이 되는 분의 영광을 충분히 많이 이야기했기 때문에, 이제는 그의 은혜를 운운할 수가 없을 것이다.

기도란 무엇인가? 기도란 영적 생활의 표적이다. 나는 기도하지 않는 영혼에게서 영적인 삶을 기대하기보다는 차라리 죽은 자에게서 생명을 기대하겠다. 우리의 신령함과 열매는 항상 기도에 비례한다.

이제까지 기도를 바로 알지 못하고 헤매고 있었다면, 오늘 당장 "내가 일어나 아버지께 가서 아버지께 이르기를 아버지 여……"라고 할 것을 결심하자.

"기도의 실패의 원인은 우리가 하나님보다 사람을 보기 때문이다. 마틴 루터가 하나님을 바라보았을 때 카톨릭 교회가 떨었다. 조나단 에드워즈가 하나님을 바라보았을 때 '대각성'이 일어났다. 요한 웨슬리가 하나님을 바라보았을 때 세계가 한 사람의 교구가 되었다. 휘트필드가 하나님을 바라보았을 때 수많은 무리가 구원을 받았다. 조지 뮬러가 하나님을 바라보았을 때 수천 명의 고아들이 양육을 받았다. 하나님은 '어제나 오늘이나 영원토록 동일하시다.'"

지금이 하나님을 새로이 볼 때가 아닌가? 모든 영광 중에 계신 하나님을 볼 때가 아닌가? 교회가 하나님을 바라볼 때 일어날 일을 누가 말할 수 있겠는가? 다른 것을 기다리지 말자. 우리 각자가 수건을 벗고 티없는 마음으로 주의 영광을 받아 보자.

"마음이 청결한 자는 복이 있나니 저희가 하나님을 볼 것임이요"(마 5 : 8).

윌버 채프만(Wilbur Chapman)을 만난 것이 기쁨이거니와 그분만큼 인상 깊은 사람도 없었다. 그는 친구에게 다음과 같은 편지를 보냈다.

"나는 기도에 관해 몇 가지 위대한 교훈을 배웠네. 영국의 한 선교지에서 청중들이 지극히 적었는데……어떤 미국인 선교사가 우리 사역에 하나님의 축복이 임하도록 간구하겠다는 쪽지를 주었네. 그는 '기도의 사람 하이드'로 알려졌더군. 거의 즉각적으로 형세가 바뀌었네. 모임 장소가 차고 넘칠 뿐 아니라 처음 초청에 50명이 그리스도를 구주로 영접하였네. 우리는 헤어지면서 그에게 '하이드 씨 나를 위해 기도해 주시기 바랍니다'라고 했더니 그가 내 방에 들어와 문을 잠그고 무릎을 꿇더니 5분간 그의 입에서 한마디의 말도 없이 침묵으로 기다리더군. 내 심장의 두근거림과 그의 심장 고동 소리를 들을 수 있을 정도였네. 나의 얼굴에 뜨거운 눈물이 흘러 내림을 느꼈고 내가 하나님과 함께 있음을 알았네. 그는 눈물이 흘러 내리는 얼굴을 위로 들고 '오, 하나님!' 하고 입을 연 후, 다시 적어도 5분간은 침묵을 지키더군. 그 후 그가 하나님과 깊은 대화를 하고 있음을 알았을 때, 내가 전에 한번도 들어보지 못했던 사람들을 위한 기도가 그의 심령 깊은 곳에서부터 우러나오는 것을 보았네. 기도를 마치면서 나는 참기도가 무엇인가를 알게 되었네. 정말 그 기도는 능력 있는 것이었다고 믿으며 우리가 여태껏 한번도 드려 보지 못한 기도라고 생각하네."

채프만 박사는 가끔 이런 말을 하곤 했다. "내가 참기도가 무엇인지 깨닫게 된 것은 하이드의 기도를 통해서였다. 기도의 삶이란 어떤 것이며 진정으로 성별된 삶이 어떤 것인지에 대해 아는 데는 그 누구보다 그의 힘이 컸다……예수 그리스도는 내게 새로운 이상이 되었고 주님의 기도 생활을 보게 되었다. 그리고 진정한 기도의 사람이 되어야겠다는 열망은 오늘날까지 계속되게 되었다." 성령 하나님께서 우리를 그렇게 가르쳐 주신다.

오, 한숨지으며 괴로워하는 자들이여
능력이 없어 눈물짓는 자들이여
이 온유한 속삭임을 들으라!
"한 시간도 깨어 기도할 수 없더냐?"
열매와 축복에는 왕도가 없다.
거룩한 사역을 할 수 있는 능력은
하나님과 사귀는 데 있다.

제 6 장

어떻게 기도할 것인가?

어떻게 기도할 것인가? 그리스도인에게 이보다 더 중요한 질문이 있을 수 있을까? 어떻게 하면 영광의 왕께 나아갈 것인가?

기도에 관한 주님의 약속들을 읽을 때, 우리는 주님께서 너무나 엄청난 권세를 우리 손에 맡기셨다고 생각하기 쉽다. 그렇지 않으면 주께서 약속을 지키실 수 없을 것이라고 속단할 수도 있다. 주님께서는 "어떤 것이든지", "무엇이든지", "원하는 대로" 구하라, 그리하면 그대로 되리라고 하셨다.

그러나 주님은 단서를 덧붙이셨다. 주의 이름으로 구하라고 하신 것이다. 좀더 뒤에 알게 되겠지만, 이것은 비록 다른 말로 표현될지라도 기도의 유일한 조건이다.

그러므로 우리가 구하고도 얻지 못한다면, 이 조건을 충족시키지 못했기 때문이라고 할 수 있다. 만일 우리가 주님의 참제자라면 그의 이름으로 구한다는 의미를 발견하는 데 노력(경우에 따라서는 무한한 노력)을 들일 것이다. 그리고 그 조건을 충족시키기까지는 만족하지 못할 것이다. 이 약속의 말씀을 다시 읽고 확인하도록 하자.

> "너희가 내 이름으로 무엇을 구하든지 내가 시행하리니 이는 아버지로 하여금 아들을 인하여 영광을 얻으시게 하려 함이라 내 이름으로 무엇이든지 내게 구하면 내가 시행하리라"(요 14 : 13－14).

아주 새로운 것이다. 우리 주님께서 말씀하셨기 때문이다.

> "지금까지는 너희가 내 이름으로 아무것도 구하지 아니하였으나 구하라 그리하면 받으리니 너희 기쁨이 충만하리라"(요 16 : 24)

"내 이름으로"라는 이 단순한 조건을 주님께서는 다섯 번 이상 반복하여 말씀하셨다(요 14 : 13, 14, 15 : 16, 16 : 23, 24, 26). 분명히 무엇인가 매우 중요한 것이 암시되어 있다. 이것은 하나의 조건 이상으로, 약속이며 격려이다. 주님의 명령은 항상 능력 부여를 의미하기 때문이다.

그렇다면 "내 이름으로" 구하라는 것은 무엇을 의미하는가? 무슨 수를 써서라도 이것을 알아야 한다. 그 이유는 이것이 기도에 있어서 모든 능력의 비결이기 때문이다. 이 말을 잘못 사용할 가능성이 있다.

주님께서는 "많은 사람이 내 이름으로 와서 이르되 나는 그리스도라 하여 많은 사람을 미혹케 하리라"(마 24 : 5)고 하셨다. 주님의 말씀을 바꾸어 말하자면 "그들은 스스로를 기만하면서 내 이름으로 아버지께 기도하고 있다고 생각할 것이다"가 될 것이다.

이 말은 기도의 끝에 "모든 말씀을 예수 그리스도의 이름으로 기도하옵나이다"라고 끝맺는 것을 의미할 뿐인가?

분명히 많은 사람들이 그렇다고 생각하고 있다. 그럼 당신은 자기 고집과 이기심으로 가득한 기도를 하고 "예수 그리스도의 이름으로 기도합니다, 아멘" 하고 끝낸 적이 없는가?

사도 야고보가 그의 서신에게 지적한 기도는 바로 그런 기도였기 때문에 "이 모든 말씀을 예수 그리스도의 이름으로 기도하옵나이다"라고 했지만 하나님은 응답하실 수가 없었다. 그 사람들은 잘못 구하고 있었다(약 4 : 3). 잘못된 기도에 어떤 신비로운 문구를 갖다 단다고 해서 바른 기도가 될 수는 없는 것이다.

그리고 올바른 기도는 설혹 이런 문구가 빠졌더라도 결코 실패하지 않는다. 그렇다. 그것은 말의 문제가 아니다. 주님께서는 어떤 형식보다는 믿음과 사실을 중시하신다. 기도의 주 목적은 주 예수를 영화롭게 하는 것이다. "아버지로 하여금 아들로 인하여 영광을 얻으시게"(요 14 : 13) 예수 그리스도의 이름으로 구해야 한다.

우리는 단순히 우리 자신의 쾌락이나 인기, 출세를 위하여 부귀와 건강 또는 번영이나 성공, 안락이나 위안 또는 신령함과 사역의 열매를 구해서는 안 된다. 다만 그리스도를 위하여, 그의 영광을 위해서 구해야 한다. "내 이름으로"라는 중요한 말을 올바르게 이해하기 위해 다음 세 단계를 알아보자.

첫째로, 이 말에는 오직 "그리스도 때문에" 무엇인가 시행된 다는 의미가 있다 — 그의 대속의 죽음 때문이다. 그리스도의 대속의 죽음을 믿지 않는 사람은 "그의 이름으로" 기도할 수 없다. 혹시 이 말을 쓴다 해도 효력이 없다. 우리가 "그 피를 인하여 의롭다 하심을 얻었은즉"(롬 5 : 9), "우리가 그의 피로 말미암아 구속 곧 죄사함을 받았으니"(엡 1 : 7 ; 골 1 : 14) 라는 말씀이 있기 때문이다.

유니테리언주의가 현대주의라는 미명하에 모든 종파에 침투하고 있는 요즈음, 그리스도의 피흘리심의 위치와 역할을 기억하는 것이 매우 중요하다. 그렇지 않으면 "기도"는 착각과 덫이 된다.

여기서 무디 선생의 사역 초기에 일어난 경험 하나를 들어 이것을 설명해 볼까 한다.

지적 은사가 매우 뛰어난 한 불신 판사의 부인이 무디 선생에게 와서 그녀 남편에게 말 좀 해 달라고 간청했다. 무디 선생은 이런 사람을 설득시키는 일이 좀 주저됐으나 매우 솔직하게 그 남편에게 이야기했다.

무디 선생은 한마디 덧붙이기를 "그러나 만일 당신이 개종하신다면 나에게 알려 주기로 약속하시겠습니까 ?"라고 했다.

그 판사는 냉소하면서 "오 ! 그러죠. 만일 내가 개종한다면 신속히 알려 드리도록 하겠소"라고 말했다. 무디 선생은 기도를 믿고 돌아갔다.

그 판사는 개종했다. 그것도 일년이 못가서였다. 그는 약속을 지켜 무디 선생에게 경위를 설명했다.

"어느 날 밤 나의 아내가 기도회에 나갔을 때 나는 매우 불안하고 비참해지기 시작했습니다. 나는 아내가 집에 돌아오기 전에 잠자리에 들었습니다. 그 날 밤 잠을 잘 수가 없었습니다. 이튿날 아침 일찍 일어나 아침을 먹지 않겠다고 아내에게 말하고는 사무실로 갔습니다. 직원들에게 휴무해도 좋다고 알리고는 나의 개인 방으로 들어가 외부와 차단하고 앉았습니다. 그러나 점점 더 비참해짐을 느꼈습니다. 마침내 무릎을 꿇고 내 죄를 용서해 달라고 하나님께 기도했습니다. 그러나 나는 유니테리언 교도였고 속죄를 믿지 않았기 때문에 '예수님의 이름으로'라고 할 수가 없었습니다. 피로워하면서 '오 하나님, 내 죄를 용서해 주옵소서'라고 계속 기도했습니다. 그러나 응답이 없었습니다. 결국 자포자기 상태에서 '오 하나님, 예수 그리스도의 이름으로 내 죄를 사해 주옵소서'라고 외쳤습니다. 그때 즉시 평화가 찾아왔습니다."

그 판사는 예수 그리스도의 이름으로 구하기 전에는 하나님의 존전에 나아갈 수가 없었다. 그가 "그리스도의 이름 안에" 들어왔을 때 비로소 그의 기도가 즉시 상달되어 용서를 받은 것이다.

그렇다. 주 예수의 "이름으로" 기도한다는 것은 그리스도께서 그의 피로 우리를 위해 구해 두신―"사신"―것들을 구하는 것이다. 우리는 "예수의 피를 힘입어 성소에 들어갈 담력을 얻었다"(히 10 : 19). 다른 방법으로는 들어갈 수 없다.

그러나 이것이 "내 이름으로"라는 말이 의미하는 전부는 아니다.

둘째로, 그리스도의 "이름으로"라는 말의 가장 비근한 예는 은행에서 수표로 현금을 찾는 것을 들 수 있다.

나는 내가 예금한 금액까지만 인출할 수 있을 뿐이다. 나 자신의 이름으로는 더 이상 인출이 불가능하다. 영국의 은행에는 나의 예금이 없다. 그러므로 거기에서는 한 푼도 인출할 수가 없다. 그러나 그 은행에 거액을 예금해 둔 어떤 부유한 사람이 나에게 그가 사인한 백지 수표를 주고 내가 원하는 금액을 써넣으라 한다고 가정해 보자.

그가 나의 친구라면 나는 어떻게 할까? 현재 나에게 필요한 금액으로 만족할까? 아니면 얼마든지 용기대로 인출할까? 나 같으면 분명히 나의 친구의 감정을 상하게 하거나 친구에 대하여 나의 품위를 떨어뜨리는 일은 전혀 하지 못할 것이다.

우리는 가끔 천국이 우리의 은행이라는 말을 듣는다. 하나님은 위대한 은행가이시다. 그래서 "각양 좋은 은사와 온전한 선물이 다 위로부터 빛들의 아버지께로서 내려온다"(약 1 : 17).

우리는 이 무한한 보고(寶庫)로부터 인출해 낼 수표가 필요하다. 주 예수님께서 기도 안에 백지 수표를 주셨다. "얼마든지 써 넣어라. 무엇이든지 원하는 대로 구하라. 그리하면 그대로 받으리라. 나의 이름으로 된 수표를 제시하라. 그리하면 네 원하는 대로 줄 것이다"라고 말씀하신다. 이것을 어느 유명한 전도자의 말로 적어 보고자 한다.

"이것은 내가 천국 은행에 갈 때, 즉 기도로 하나님께 나아갈 때 일어나는 일이다. 나는 그 은행에 아무것도 예금해 두지 않았다. 나는 그곳에 아무런 신용도 없다. 그래서 나자신의 이름으로라면 절대로 아무것도 받을 수 없을 것이다. 그러나 예수 그리스도는 천국 은행에 무한한 신용을 가지고 계신다. 그는 내 수표 위에 그의 이름을 써서 그곳에 가도록 특권을 베풀어 놓으셨다. 내가 이것을 가지고 갈 때 나의 기도는 얼마든지 지불받을 수 있다. 그렇다면 그리스도의 이름으로 기도한다는 것은 나의 신용이 아니라 그리스도의 신용을 근거로 기도하는 것이다.”

이 사실은 매우 기쁜 일이요 틀림없는 사실이다. 만일 이 수표가 정부 거래 계좌나 어떤 재벌급 회사 앞으로 발행된 수표라면 가능하면 전부를 찾아버리고 싶을지도 모른다. 그러나 우리는 우리의 모든 것을 빚지고 있고, 전심으로 사랑하며, 거듭 거듭 만나도 될 사랑의 하나님께 나아가고 있음을 기억해야 한다.

천국 은행에서 수표를 현금으로 바꿀 때, 우리는 맨 먼저 하나님의 존귀와 그의 영광을 구한다. 우리는 하나님의 보시기에 기뻐할 일만을 해드리기 원한다. 수표를 현금으로 바꾸는 일, 말하자면 우리들의 기도에 응답하는 일이 그의 이름에 불명예를 초래하거나 우리에게 불신임과 불안을 가져올지도 모른다. 사실 하나님의 재원은 무한하다. 그러나 그의 영예는 침해당할 수 있다.

그러나 경험을 통해 보건대 그런 것은 염려하지 않아도 된다. 친애하는 독자 여러분, 우리 모두는 가끔 이런 방법을 시도하다가 실패하지 않는가?

지금까지 “그리스도의 이름으로” 간구한 것은 모두 천국 은행으로부터 받아 왔다고 자신 있게 말할 수 있는 사람이 과연 몇 사람이나 될까? 무엇 때문에 실패하는가? 그것은 우리를 향하신 하나님의 뜻을 찾지 않기 때문이 아닌가? 하나님의 뜻을 넘어서려 해서는 안 된다.

아직 공개하지 않은 나의 개인 체험담을 얘기해 보고자 한다. 아마 그런 경우는 다시 없을 것이다. 약 30년 전에 일어난 일인데 지금은 그 이유를 알고 있다. 이것은 우리가 지금 알려고 애쓰는 바 기도에 대한 훌륭한 설명이 될 것이다.

한 부자 친구가 무척이나 바쁜 사람인데 어떤 목적을 갖고 나에게 1파운드를 주고 싶어했다. 그는 나를 그의 사무실로 초대하여 급하게 그 액수의 수표를 썼다. 그는 그 수표를 접어서 내게 건네 주면서 "횡선 수표로 하지 않았으니까 은행에 가서 현금으로 바꾸어 가게"라고 말하는 것이었다.

은행에 도착하여 금액 확인에는 신경을 쓰지 않고 수표 뒷면에 배서한 후 담당 계원에게 제시했다. 계원은 가는 눈을 뜨고 나를 쳐다보면서 "이 금액은 카운터에서 바꾸기에는 너무 많은 금액인걸요"라고 했다. "그래요" 웃으면서 나는 "1파운드 올시다"라고 대답했다. 계원은 "아니오, 이건 1천파운드짜리 수표입니다"라고 했다.

그게 옳았다! 내 친구는 거액의 수표를 발행하는 데 습관이 되어 있었던 것이다. 그는 실제로 1파운드가 아니라 1천파운드라고 썼던 것이다.

자, 그럼 법률적으로 나의 처지는 어떤가? 그 수표는 실제로 친구의 이름으로 되어 있었다. 그의 사인도 틀림없었다. 나의 배서도 이상이 없었다. 잔고가 충분히 있는 한 내가 1천파운드를 요구할 수 없겠는가? 그 수표는 의식적으로 써서 내게 준 것이다. 왜 선물을 받지 않겠는가?

그러나 내가 사귀는 그 친구에게 나는 많은 호의의 빚을 지고 있었다. 그는 나에게 그의 마음을 보여 주었다. 나는 그의 기대와 바람을 알고 있었다.

그는 나에게 딱 1파운드만 주기 원했다. 나는 그의 의도와 그의 마음을 알았으므로 너무나도 관대한 그 수표를 즉각 회수해서 적당한 시기에 그의 뜻에 따라 단 1파운드만 받았다. 그가 백지 수표를 내게 주었더라도 그 결과는 똑같았을 것이다. 그는 내가 1파운드를 기재하기를 기대하였을 것이다. 나의 의리도 그 액수를 기록하느냐에 달려 있었을 것이다.

어떤 교훈을 배울 수 있겠는가? 하나님께서는 우리 각 사람을 향해 뜻을 가지고 계신다. 우리가 그 뜻을 알려 하지 않으면, 하나님께서 우리에게 "1"을 최선의 것으로 보실 때 우리는 "1천"을 요구할 수 있다는 것이다.

우리는 기도를 통해 친구이신 사랑하는 아버지께 나아간다. 우리는 모든 것을 그분께로부터 얻고 있다. 그분은 우리가 원할 때는 언제든지 와서 필요한 것을 무엇이든지 구하라고 하신다. 그의 재원은 한이 없다.

그러나 하나님께서는 반드시 그의 뜻에 맞는 것만, 즉 그의 이름에 영광이 되는 것만 구해야 한다는 사실을 기억하기를 명하신다. 요한은 "그의 뜻대로 무엇을 구하면 들으심이라"(요일 5 : 14)고 말한다. 그래서 친구이신 하나님은 백지 수표를 주시면서 무엇이든지 기재해 넣으라고 하신다.

그러나 그는 우리가 진정으로 그를 사랑한다면 우리에게 주시고자 하지 않는 것들은 절대로 기재해서는 안 된다는—결코 간구해서는 안 된다는—것을 아신다. 왜냐하면 그것들은 우리에게 해로울 것이기 때문이다.

아마 우리들 대부분은 다른 측면에서 오류를 범하고 있다고 하겠다. 하나님께서는 우리에게 백지 수표를 주시면서 1파운드를 요구하라고 하신다. 그런데 우리는 1실링(1/20파운드)을 구하는 것이다. 내가 친구에게 이와 같이 대하는 것이 그에게 모욕이 되지 않겠는가? 우리는 충분히 요구하고 있는가? 우리는 하나님의 영광의 풍성함에 걸맞게 요구하고 있는가?

그러나 지금 우리의 문제는 하나님께서 우리를 위해 가지고 계신 뜻을 배우지 않고는 "그의 이름으로" 기도하는지 자신할 수 없다는 것이다.

셋째로, 그러나 아직도 "내 이름으로"라는 말의 의미를 완전히 파악하지 못했다. 우리는 모두 타인의 "이름으로" 무엇을 요구한다는 것이 어떤 것인가를 알고 있다. 우리는 누구든지 신용할 수 없는 사람이 우리의 이름을 사용하지 못하게 하려고 세심한 신경을 쓴다. 그렇지 않으면 우리의 명예와 신용에 먹칠을 당할 수가 있다.

믿었던 사환 게하시가 나아만을 뒤좇아가서 엘리사의 이름을 불명예스럽게 사용했다. 엘리사의 이름으로 그는 재물을 획득했다. 그러나 그는 그의 악행으로 말미암아 저주도 받았다.

신뢰받는 사무원은 종종 고용주의 이름을 써서 거액의 돈을 마치 자기 자신의 것인 양 다룬다. 그러나 이 경우 그는 이렇게 할 자격이 있다고 마음속으로 확신할 때만 할 수 있는 것이다. 그리고 그 돈은 자기 자신을 위해 쓰는 것이 아니라 주인을 위해 쓴다. 우리들의 모든 돈은 주인이신 그리스도 예수의 것이다. 만일 모든 것을 하나님의 영광을 위해 쓴다면 그것을 공급받기 위해 그의 이름으로 나아갈 수 있다.

내 앞으로 된 수표를 현금으로 바꾸기 위해 갔을 때, 고객의 사인이 분명하고 내가 수취인임이 확인되면 은행에서는 쾌히 받아 준다. 나의 신상에 대하여 전혀 조회하지 않는다. 은행은 내가 그 돈을 수취할 자격이 있는지 또는 그 돈을 올바르게 사용할 수 있는지에 대하여 조사할 아무런 권한이 없는 것이다.

천국 은행도 그와 마찬가지다. 자, 이것이 가장 중요한 점이다. 지금 한 말을 건성으로 넘기지 말라. 내가 측량할 수 없이 풍부한 그리스도의 부로 기록된 수표를 가지고 주 예수님의 이름으로 천국 은행에 갈 때 하나님은 내가 그것을 수령하기에 합당한 자가 되기를 요구하신다. 나는 거룩하신 하나님께 무엇을 받을 수 있는 공로를 세우거나 자격이 있다는 의미에서 합당한 자가 아니다. 나 자신의 영광이나 이익을 위하지 아니하고 다만 하나님의 영광을 위해 그 선물을 요구한다는 의미에서 합당한 자를 말한다. 그렇지 않으면 기도해도 얻지 못한다.

"구하여도 받지 못함은 정욕으로 쓰려고 잘못 구함이니라" (약 4 : 3).

천국 은행가께서는 우리의 동기가 정당하지 못할 때 수표를 현금으로 바꾸어 주시지 않는다. 이것이 수많은 사람들이 기도에 실패하는 원인이 아니겠는가? 그리스도의 이름은 그의 인격을 보여 준 것이다.

"그의 이름으로" 기도하는 것은 그의 보냄을 받은 대리인으로서 보낸 자의 인격으로 기도하는 것이다. 그것은 그의 성령으로 그의 뜻에 맞추어 기도하고, 우리의 간구에 그의 결재를 얻고, 그가 찾으시는 바를 찾으며, 주님 자신이 이루어지기를 원하시는 것을 이루려고 도움을 요청하는 것이며, 우리 자신의 영광을 위해서가 아니라 다만 주님의 영광만을 위해서 그것을 원하는 것이다.

우리는 "그의 이름으로" 기도하기 위해 관심과 목적을 확인해야 한다. 자신과 그 목적과 욕구가 전적으로 하나님의 성령에 의해 통제를 받아야 하며, 그렇게 함으로써 우리의 뜻과 그리스도의 뜻이 완전한 조화를 이루게 된다.

우리는 "오 주여, 당신의 뜻을 마치 나의 뜻인 양 행하게 하옵소서. 그리하시오면 당신께서 나의 뜻을 마치 당신의 뜻인 양 행하시리이다"라고 부르짖은 성 어거스틴의 경지에 이르러야 한다.

하나님의 자녀들이여, "그의 이름으로" 기도하는 것이 전혀 우리 힘으로는 불가능한 것같이 보이는가? 주님의 의도는 그렇지 않다. 주님은 우리를 기만하시지 않는다. 주님은 성령에 대하여 말씀하시면서 이런 말씀을 주셨다.

"보혜사 곧 아버지께서 내 이름으로 보내실 성령"(요 14 : 26).

주님께서는 우리가 성령의 지배를 받음으로써 그리스도의 이름으로 행하기를 원하신다.

"무릇 하나님의 영으로 인도함을 받는 그들은 곧 하나님의 아들이라"(롬 8 : 14).

그러므로 아들만이 "우리 아버지"라고 말할 수 있다.

주님께서 다소 사람 사울에 대하여 "이 사람은 내 이름을 이방인과 임금들과 이스라엘 자손들 앞에 전하기 위하여 택한 나의 그릇이라"(행 9 : 15)고 말씀하셨다. 그들에게가 아니라 그들 "앞에"이다. 그래서 사도 바울은 "하나님께서 아들을 내 속에 나타내기를 기뻐하셨다"(갈 1 : 16)고 말하고 있다.

우리가 백성들 앞에서 그의 이름을 전하지 않으면 그리스도의 이름으로 기도할 수가 없다. 이것은 우리가 주님 안에 거하고 주님의 말씀이 우리 안에 거할 때에만 가능하다. 그래서 "마음이 바르지 않은 한, 기도는 그릇될 수밖에 없다"는 결론에 이른다.

그리스도께서는 "너희가 내 안에 거하고 내 말이 너희 안에 거하면 무엇이든지 원하는 대로 구하라 그리하면 이루리라"(요 15 : 7)고 말씀하셨다.

다음 세 가지 약속은 다른 말로 표현되고 있으나 실제로는 같은 말이다.

"너희가 내 이름으로 무엇을 구하든지 내가 시행하리니……"(요 14 : 13-14).
"너희가 내 안에 거하고 내 말이 너희 안에 거하면 무엇이든지 원하는 대로 구하라 그리하면 이루리라"(요 15 : 7).
"그의 뜻대로 무엇을 구하면 들으심이라"(요일 5 : 14).

이 말은 다음과 같은 사도 요한의 말로 요약할 수 있다.

"무엇이든지 구하는 바를 그에게 받나니 이는 우리가 그의 계명들을 지키고 그 앞에서 기뻐하시는 것을 행함이라"
(요일 3 : 22).

우리가 하나님께서 명하신 것을 행할 때 하나님은 우리의 간구를 시행하신다. 하나님께 귀를 기울이라. 그리하면 하나님께서도 당신에게 귀를 기울이실 것이다. 만일 우리가 하나님 안에 거하는 그 조건만 만족시켜 드린다면, 주님께서는 그의 나라 곧 천국의 위임권을 우리에게 수여하시는 것이다.

오! 이 얼마나 놀라운 사실인가! 우리는 하나님의 심정과 하나님의 소원과 하나님의 뜻을 열렬하게 그리고 진지하게 찾아야 하지 않겠는가? 우리들 가운데 누구든지 자기 추구에만 급급하다가 이렇게 측량할 수 없는 부요함을 놓치게 된다면 얼마나 안타까운 일이겠는가?

우리는 하나님의 뜻이 우리들에게 최선의 것이며, 하나님께서 우리에게 축복하시고 또 복받기를 열망하고 계심을 알고 있다. 우리 자신의 취향을 좇으면 우리 자신과 우리가 사랑하는 자들에게 해롭다는 것은 너무나도 확실하다는 것을 알고 있다. 우리를 위한 하나님의 뜻을 저버리는 것은 재앙을 자초하는 것임을 알고 있다.

오, 하나님의 자녀들이여! 왜 하나님을 전폭적으로 완전히 신뢰하지 않는가? 이제 우리는 다시 한번 거룩한 생애에 직면해 있다. 우리는 구주께서 기도하라는 명령이 순전히 거룩하라는 경종이라는 너무나도 분명한 사실과 마주 대하고 있다.

"너희는 거룩하라!"

거룩하지 않으면 아무도 하나님을 볼 수 없으며 기도도 효력이 없기 때문이다.

우리가 기도 응답을 받아 본 적이 없다고 고백하면, 그것은 하나님이나 하나님의 약속 또는 기도의 능력을 탓하는 것이 아니라 우리 자신을 나무라는 것이 된다. 기도만큼 영적 생활을 달아 보는 좋은 방법은 없다. 누구든지 기도하기를 애쓰는 사람은 자기가 바로 하나님의 목전에 서 있음을 즉시 발견하게 된다.

우리가 승리의 생활을 살지 않고서는 올바르게 그리스도의 이름으로 기도를 드릴 수 없고 그 기도의 생활은 반드시 나약하고 변칙적이며 간간이 땜질하는 실효성 없는 거짓일 수밖에 없다.

"그의 이름으로"라는 말은 틀림없이 "그의 뜻대로"라는 말과 같다. 그러나 우리가 그의 뜻을 알 수 있을까? 분명히 알 수 있다. 사도 바울은 "너희 안에 이 마음을 품으라 곧 그리스도 예수의 마음이니"(빌 2 : 5)라고 말했을 뿐 아니라 "우리가 그리스도의 마음을 가졌느니라"(고전 2 : 16)고 담대히 선언했다. 그러면 하나님의 뜻을 어떻게 알 수 있는가?

우리는 "여호와의 친밀함이 경외하는 자에게 있음이여"(시 25 : 14)라는 말씀을 되새겨 보아야 한다.

우선, 하나님의 뜻을 알고 그 뜻을 실행하려는 의도가 없이는, 하나님께서 우리에게 그의 뜻을 계시해 주실 것을 기대해서는 안 된다. 하나님의 뜻을 아는 것과 그 뜻을 행하는 것은 병행하는 것이다. 흔히 하나님의 뜻을 알려고 하는 것은 그 뜻을 순종할 것인지 말 것인지를 결정하려는 것이다. 이런 태도는 비참하다.

"사람이 하나님의 뜻을 행하려 하면 이 교훈이 하나님께로서 왔는지 내가 스스로 말함인지 알리라"(요 7 : 17).

하나님의 뜻은 성경 말씀에 드러나 있다. 하나님의 말씀에 무엇을 약속해 놓았는지는 그의 뜻을 따름으로써 알 수 있다.

예를 들면, 하나님의 말씀에 "누구든지 지혜가 부족하거든 모든 사람에게 후히 주시고 꾸짖지 아니하시는 하나님께 구하라 그리하면 주시리라"(약 1 : 5)고 하셨기 때문에 자신 있게 지혜를 구할 수 있다. 우리를 향한 하나님의 뜻을 발견할 수 있는 하나님의 말씀을 연구하지 않고서는 유능한 기도의 사람이 될 수 없다.

그러나 기도의 큰 조력자는 하나님의 성령이다. 사도 바울의 놀라운 말씀을 다시 한번 읽어 보자.

"이와 같이 성령도 우리 연약함을 도우시나니 우리가 마땅히 빌 바를 알지 못하나 오직 성령이 말할 수 없는 탄식으로 우리를 위하여 친히 간구하시느니라 마음을 감찰하시는 이가 성령의 생각을 아시나니 이는 성령이 하나님의 뜻대로 성도를 위하여 간구하심이니라"(롬 8 : 26－27).

얼마나 위로가 되는 말씀인가! 기도에 있어서 무지와 무력함이 우리를 성령에게 맡기는 계기가 되기만 한다면 그야말로 축복이다. 주 예수의 이름을 찬양하자. 핑계할 것이 없다. 우리는 기도하지 않으면 안 된다. 우리는 기도할 수 있다.

하늘에 계신 하나님께서 구하는 자에게 성령을 주시기로 약속한 것(눅 11 : 13)과 또한 좋은 것으로 주시기로 하신 것(마 7 : 11)을 기억하라.

하나님의 자녀들이여, 당신은 가끔 기도를 드려 왔고 때로는 틀림없이 나약하고 게을러 빠진 기도에 슬퍼한 적도 있었을 것이다. 그러나 진심으로 그의 이름으로 기도를 드려본 적이 있는가?

우리가 기도에 실패하고 어떤 기도를 어떤 방법으로 드려야 할지 모를 때 성령께서 우리를 도우시기로 약속되어 있다.

그리스도에게 완전히 그리고 전심을 다하여 굴복하는 것이 좋지 않겠는가? 이것도 저것도 아닌 그리스도인은 하나님께도 사람에게도 거의 쓸모가 없다. 하나님은 그런 자를 쓰실 수 없으며 사람들도 몹시 싫어한다. 다만 그런 자는 위선자로 취급 당할 뿐이다. 삶 속에 남겨둔 한 가지 죄가 즉시 우리의 유용함과 기쁨과 기도의 능력을 빼앗아 간다.

사랑하는 자들이여, 우리는 주 예수 그리스도의 은혜와 영광을 새롭게 보았다. 주님은 그의 영광과 그의 은혜를 모두 우리와 함께 나누시기를 바라며 기다리고 계신다. 주님은 우리를 축복의 통로로 삼기 원하신다. 진지하고도 신실하게 하나님을 경배하며, 열렬하고 간절하게 "주여 무엇을 하리이까"(행 22 : 10)라고 부르짖고, 그의 능력으로 이를 행해야 하지 않겠는가?

사도 바울은 한때 하나님께 "내가 무엇을 하리이까?"라는 기도를 올렸다. 그가 받은 응답은 무엇인가? 들어 보라. 그는 자신에게 무엇을 의미하며 또 우리에게 무엇을 의미해야 하는지를 모든 믿는 자들에게 다음과 같이 말하고 있다.

"……사랑하신 자처럼 긍휼과 자비와 겸손과 온유와 오래

참음을 옷입고……이 모든 것 위에 사랑을 더하라……그
리스도의 평강이 너희 마음을 주장하게 하라……그리스도
의 말씀이 너희 속에 풍성히 거하여 모든 지혜로……또
무엇을 하든지 말에나 일에나 다 주 예수의 이름으로 하고
그를 힘입어 하나님 아버지께 감사하라"(골 3 : 12 − 17).

우리가 행하는 모든 것이 주의 이름으로 수행될 때, 주님은
우리가 주의 이름으로 구하는 모든 것을 시행하신다.

제 7 장

기도는 고뇌 가운데 해야 하는가?

　기도는 시간에 의해서가 아니라 강도(强度)에 의해서 평가된다. 진지한 사람들은 기도의 사람 하이드와 같은 책을 읽을 경우 "나도 그와 같이 기도할 수 있을까?" 하고 염려스럽게 질문을 하게 된다.

　하나님 앞에 무릎 꿇고 기도하고 기도하며 또 기도하는 가운데 때때로 식사를 거절하고 단잠을 경멸하면서까지 온종일 또는 온밤을 지새우는 사람들의 이야기를 듣는다. 그럴 때는 자연 놀라면서 "우리도 그렇게 해야 하는가? 우리도 모두 그들을 본받아야 하는가?"라고 생각한다. 그런 기도의 사람들은 시간을 따져 가며 기도하지 않았다는 사실을 기억해야 한다. 그들은 기도를 중단할 수 없었기 때문에 그토록 오래 기도를 계속했던 것이다.

　더러는 내가 앞에서 설명한 장(章)들에서 우리가 반드시 따라야 할 것들을 암시했다고 생각한다. 하나님의 자녀들이여, 이런 생각과 염려로 괴로워하지 말라. 다만 하나님께서 당신에게 행하게 하시는 것, 즉 하나님이 이끄시는 대로만 하라. 이를 위해 생각하고 기도하라. 우리는 주 예수님으로부터 사랑하는 하늘에 계신 아버지께 기도하라는 명령을 받았다. 우리는 때때로 "그 크신 하나님의 사랑"을 노래한다. 그 사랑은 측량할 수가 없다.

기도는 져야 할 짐이나 감당해야 할 지겨운 의무가 아니다. 무한한 기쁨과 능력을 주기 위한 것이다. "때를 따라 돕는 은혜를 얻기 위하여"(히 4 : 16) 우리에게 주어진 것이다. "때를 따라"는 항상 "필요한 때"를 의미한다. "기도하라"는 복종해야 할 명령이라기보다 오히려 받아들이기를 바라는 초대이다.

자녀가 아버지에게 무엇을 부탁하러 가는 것이 짐이 되겠는가? 아버지는 자녀를 사랑하고 가장 좋은 것으로 주기 위해 얼마나 고심하는가? 아버지는 어린 자녀들이 슬픔이나 고통, 괴로움을 당하지 않도록 얼마나 감싸고 보호하는지 모른다. 하늘에 계신 우리 아버지께서는 이 땅의 어떤 아버지보다도 우리를 더욱 한없이 사랑하신다. 주 예수님도 이 땅 위의 어떤 친구보다 한없이 우리를 더욱 사랑하신다.

이 귀중한 기도의 주제에 관하여 혹시 나의 말이 기도에 대하여 더 많이 알려고 갈망하는 사람들의 마음이나 양심에 상처가 되더라도 하나님께서는 용서해 주신다. "너희 천부께서……아신다"고 주님은 말씀하셨다. 만일 하나님께서 아신다면 우리는 믿고 두려워할 필요가 없다.

선생님은 숙제를 게을리하거나 지각을 하거나 자주 결석을 하는 아동을 꾸지람할 수 있지만, 가정에 계시는 사랑하는 아버지는 그 모든 사정을 알고 계신다. 아버지는 그 어린 아이가

집에서 헌신적으로 봉사하는 것을 알고 계신다―집에서 질병이
나 빈곤으로 인해 꼬마도 많은 사랑의 수고를 한다는 것을. 고
마우신 하나님 아버지께서도 우리들의 모든 것을 알고 계신다.
하나님은 보고 계신다. 하나님께서는 우리가 오래 기도할 수
있는 기회가 얼마나 없는가를 아신다.

어떤 이들에게는 하나님께서 여가를 주신다. 때로는 우리가
쳐다보도록 누이신다(시 23 : 2). 그때조차도 육신이 연약하여
오래 기도 시간을 내지 못한다. 그러나 아무리 우리의 변명이
크고 정당하다 할지라도 기도에 대해 충분히 생각한 사람이 있
는가 묻고 싶다.

어떤 사람들은 기도를 많이 해야만 한다. 우리들의 하는 일이
기도를 요구하기 때문이다. 우리는 영적 지도자로 대우받고 있
을 수도 있다. 타인의 영적인 복지와 훈련을 책임지고 있는지도
모른다. 하나님께서는 그들을 위해 기도하기를 쉬는 죄를 범하
는 것을 금하고 계신다(삼상 12 : 23). 그렇다. 기도하는 것은
바로 우리들의 임무요 평생 할 일이다.

고통을 주는 친구들은 있지만
주 안에 있는 친구는 한 명도 없다.

어떤 이들은 기도하지 않을 수 없다. 만일 우리 심령에 이런
짐이 있다면 "내가 얼마 동안 기도해야 합니까?"라고 묻지
않을 것이다.

그러나 수많은 사람들의 기도 생활을 가로막는 어려움들을
우리는 너무나 잘 알고 있지 않은가? 글을 쓰고 있는 내 앞에
편지 더미가 놓여 있다. 거기에는 변명과 그럴 듯한 이의나 이

유들이 가득 차 있다. 모두 다 타당성이 있다. 그러면 편지를 쓴 이유가 그런 것 때문일까? 천만의 말씀이다.

그 모든 편지 속에는 하나님의 뜻을 알려 하고, 어떻게 하면 삶의 무수한 방해들에도 불구하고 기도하라는 명령을 순종할 수 있을까 하는 깊은 갈망이 담겨 있다.

이 편지들은 은밀한 기도 시간을 위해 다른 일을 제쳐둘 수 없는 사람이 많음을 보여 준다. 즉 침실까지도 함께 쓰는 사람들, 세탁과 요리, 수선, 청소, 장보기, 방문 등 끊임없이 계속되는 일들로 인해 눈코 뜰 새 없이 바쁜 어머니, 가정부, 주부들, 그리고 일과가 끝나면 너무 지쳐서 기도할 수 없는 노동자들 등이다.

하나님의 자녀들이여, 하늘에 계신 아버지께서는 이 모든 것을 다 알고 계신다. 하나님은 공사장 감독이 아니라 우리 아버지이시다. 만일 기도할 시간적 여유가 없거나, 은밀히 기도할 기회가 없다면 그냥 솔직하게 하나님께 말씀드리라. 그러면 곧 당신은 기도하고 있음을 발견하게 될 것이다.

한적한 곳을 얻을 수 없는 사람들이나 잠시나마 조용한 예배당에 홀로 들어갈 기회조차 없는 사람들에게는 사도 바울의 놀라운 기도 생활을 말해 주고 싶다. 우리가 알고 있는 그의 경이로운 기도의 대부분이 그가 옥중에 있을 때 기록한 것이 아닌가? 그의 모습을 그려 보라.

그는 밤낮 로마 군병의 감옥에 갇혀 홀로 떨어져 있어 본 적이 없었다. 에바브라가 한동안 거기 있으면서 스승의 기도의 열정을 흡수하였다. 누가도 거기 있었는지 모른다. 기도 모임이 있을 수 있었겠는가! 은밀히 기도할 기회가 없었다. 아니, 그러나 우리는 그 쇠고랑에 묶인 손으로부터 얼마나 격려를 받는지 모른다.

당신과 나는 바빠서 결코 홀로 있을 시간이 없을지도 모른다. 그러나 적어도 우리의 손이 착고에 채워지지는 않았으며, 우리의 마음과 입술도 매여 있지 않다.

기도 시간을 낼 수 있는가? 내 생각이 잘못되었을지도 모르나 나의 신앙에서 볼 때 대부분의 사람들이 — 다는 아니겠지만 — 충분한 식사와 수면을 포기하면서까지 많은 시간을 기도함으로써 육체를 상하게 한다는 것은 하나님의 뜻이 아니라고 생각한다. 많은 사람들은 육신이 약하기 때문에 오랜 시간 동안 정신을 집중하여 기도하는 것이 불가능하다.

기도하는 자세는 물리적인 것이 아니다. 하나님은 우리가 무릎을 꿇든지, 서든지, 앉든지, 걷든지, 일하든지 언제나 들으신다.

많은 사람들이 좀더 많이 기도하고자 그들의 휴식 시간을 포기하면서 기도할 때, 하나님께서는 그들에게 특별한 힘을 주시기도 한다는 사실이 입증되고 있음을 나는 잘 알고 있다.

한때 필자는 기도하고 하나님과 교제하기 위해 아침 일찍 — 매일 아침 — 일어나려고 노력하였다. 얼마 후에 매일의 일과가 긴장과 효과면에서 피해를 입고 있으며 초저녁에 자지 않고는 견딜 수 없음을 깨달았다.

그러나 우리는 할 수 있는 데까지 기도하고 있는가? 새벽에 기도하는 데에 더욱 열심을 내지 않고 젊고 패기찬 시절을 흘려보낸 것이 나에겐 늘 후회가 된다.

"쉬지 말고 기도하라"(살전 5 : 17)는 말은 영감받은 명령임이 너무나 분명하다. 사랑하는 주님께서 말씀하시기를 "항상 기도하고 낙망치 말아야 된다 — 절대로 낙심치 말라"(눅 18 :

1)고 하셨다.

물론 이 말씀은 언제나 무릎 꿇고 있으라는 말을 의미하는 것은 아니다. 하나님께서는 우리들이 기도한다 하면서 정당한 임무를 게을리하는 것을 원치 않으심을 확신한다. 그러나 만일 우리가 일하는 시간을 줄이고 기도를 더한다면 일을 더 많이 더 잘하게 될 것은 확실한 것이다.

열심히 일을 하자. 일을 게을리해서는 안 된다(롬 12 : 11 참조). 사도 바울은 이렇게 말했다.

"또 너희에게 명한 것같이 종용하여 자기 일을 하고 너희 손으로 일하기를 힘쓰라……단정히 행하고 또한 아무 궁핍함이 없게 하려 함이라"(살전 4 : 11−12).

"……누구든지 일하기 싫어하거든 먹지도 말게 하라"(살후 3 : 10).

그러나 날마다 "거룩한 손을 들어"—적어도 거룩한 심정으로—아버지께 기도할 수 있는 기회가 있지 않은가? 날마다 새 날을 맞으면서 눈을 뜨는 순간 우리를 구속하신 주님께 찬송과 감사를 돌리는 기회를 포착하고 있는가? 그리스도인에게는 매일매일이 부활절이다. 옷을 입으면서도 기도할 수 있다.

그러나 생각나게 하는 것이 없으면 잊어버릴 때가 많다. 당신이 늘 들여다보는 거울 한구석에 "쉬지 말고 기도하라"는 쪽지를 붙여 놓으라. 이 일을 하다가 저 일로 옮길 때 기도할 수 있다. 일하면서도 기도할 수 있다. 빨래할 때나 글을 쓸 때, 무엇을 고치거나 아기를 볼 때, 그리고 요리하거나 청소할 때도 얼마든지 기도할 수 있다.

모든 사람들은 마찬가지겠지만, 특히 아이들은 사랑하는 사람이 지켜 볼 때 더 잘 일하고 더 잘 논다. 이 사실은 주 예수께서 항상 우리와 함께 계시면서 지켜 보신다는 사실을 생각나게 해주지 않는가? 주님의 눈이 우리를 향하고 있다는 의식은 바로 주님의 능력이 우리 안에 있다는 의식이 될 것이다.

사도 바울이 "주께서 가까우시니라", 즉 가까이 계신다고 말할 때 그는 어떤 지정된 기도의 시간보다는 오히려 습관적인 기도 생활이 그의 심중에 있었으리라고 생각되지 않는가?

"너희 관용을 모든 사람에게 알게 하라 주께서 가까우시니라 아무것도 염려하지 말고 오직 모든 일에 기도와 간구로 너희 구할 것을 감사함으로 하나님께 아뢰라"(빌 4 : 5-6).

"모든 일"이란 우리에게 닥치는 일들마다, 순간순간 그때 그 자리에서 가까이 계시는 주님께 기도하고 찬송하는 일로 대처하라는 제안의 말이 아니겠는가? 왜 우리는 "가까이"라는 말을 주님의 재림에만 국한시키려 하는가?

기도는 가까이 계시는 하나님께 드리는 것이다. 이 얼마나 복된 말씀인가? 주님께서 제자들을 파송하실 때 "볼지어다 내가 너희와 항상 함께 있으리라"고 하셨다.

저명한 의사 토마스 브라운(Thomas Browne) 경은 이 정신을 잘 살렸다. 그는 다음과 같이 서원했다.

"나는 침묵이 허용되는 모든 장소에서, 집이나 도로나 거리에서 기도하겠다. 그리고 이 도시의 모든 거리에서 내가 하나님을 잊지 않고 구주께서 거기 계신다는 것을 명심하겠다. 내가 있는 타운과 교구도 내가 그렇게 하는 것을 보지 못하는 일이 없도록 하겠다. 차를 타고 가다가 교회가 눈에 띄면 기도할 기회로 알겠다. 매일 기도하되 특별히 내가 진료하는 환자들을 위해 기도하며, 타인의 진료를 받는 모든 환자들까지도 위하여 기도하겠다. 환자의 가정에 들어서면 '하나님의 평강과 자비가 이 가정에 임하소서'라고 빌겠다. 설교 후에도 기도하고 복을 빌며 목사님을 위해서도 기도하겠다."

길건 짧건간에 일정한 기도의 시간이 없이도 주님과 이 같은 습관적인 교제가 가능할 것인가를 물을 것이다. 또 어떤 기도의 시간에 이렇게 해야 하는가? 이미 말했듯이 기도란 어린 자녀가 아버지에게 무엇을 요구하는 것과 같이 단순한 것이다. 이 말에 무엇을 추가한다는 것은 사족에 불과할 뿐이다.

마귀가 어떻게 해서든 우리가 기도로 하나님께 나아가기를 반대하고, 믿음의 기도를 할 수 있는 한 저지한다는 것에는 의심의 여지가 없다. 마귀가 우리를 방해하는 주요 수단은 우리의 마음을 구할 것으로 가득 채워서 우리가 기도하는 대상인 하나님, 사랑하는 아버지를 생각하지 못하게 하는 것이다. 마귀는 우리에게 선물을 주는 자보다 선물을 더 생각하게 만든다.

성령은 우리들이 형제를 위해 기도하도록 인도하신다. 우리는 "오 하나님, 내 형제를 축복하옵소서" 하기에 이른다. 그 다음에는 우리의 생각이 그 형제와 그의 일, 그의 어려운 점들, 그의 희망과 염려에 고정되다가 기도를 끝내게 된다.

마귀는 우리가 생각을 하나님께 집중시키는 일을 방해하려고 얼마나 애쓰는지 모른다. 그래서 기도를 드리기 전에 하나님의 영광, 하나님의 능력과 임재를 실감하라고 촉구하는 것이다.

만일 마귀가 없다면 기도에 어려움이 없을 것이다. 그러나 기도를 불가능하게 하는 것이 마귀의 주목적이다. 이것이 우리들 대부분이 산상 설교에 나타난 주님의 말씀을 인용하면서 소위 중언부언하는 것과 말을 많이 하는 것을 비난하려는 사람들에게 쉽게 공감이 가지 않는 이유일 것이다.

런던의 어떤 훌륭한 목사가 최근에 다음과 같이 말했다.

"하나님께서는 우리들이 기도를 오래함으로써 하나님의 시간도 우리들의 시간도 낭비하지 않기를 바라신다. 우리는 하나님과 관계하는 데 민첩해야 하며 우리가 원하는 바를 분명하고 간략하게 말씀드려야 한다. 그리고 거기서 그 문제를 끝내야 한다."

그러나 기도는 단지 하나님께서 우리의 요구를 인지하시도록 하는 것이라고 생각하지 않는가? 만일 기도의 의미가 그것뿐이라면 기도할 필요가 없지 않은가? 주님께서 제자들에게 기도를 촉구하면서 "구하기 전에 너희에게 있어야 할 것을 하나님 너희 아버지께서 아시느니라"(마 6 : 8)고 하셨기 때문이다.

우리는 그리스도 자신이 길게 기도하는 것을 꾸짖으신 것을 알고 있다(마 23 : 14, 한글 개역성경에는 14절이 없음 — 역자 주). 그러나 그것은 "가식을 위한", "보이기 위한" 긴 기도를 말하는 것이다(눅 20 : 47).

사랑하는 형제들이여, 우리들이 매주일 기도회로 모여서 드리는 기도 중에 주님께서 꾸중하실 긴 기도들이 많이 있다는 사실을 알아야 한다. 그런 기도는 기도회를 죽이고 하나님께서 이 가냘픈 숨소리들이나 쓸데없는 말들도 들으셨을 것이라며 끝난다.

그러나 주님은 진지하게 하는 기도는 아무리 길어도 결코 꾸짖지 아니하신다. 주님께서도 가끔 기도로 온밤을 지새우셨음을 기억하자. 얼마나 빈번히 기도하셨는지는 알 수 없으나 그런 기록을 볼 수 있다(눅 6 : 12). 주님은 때때로 "새벽 오히려 미명에" 일어나셔서 한적한 곳을 찾아가서 거기서 기도하셨다(막 1 : 35). 완전하신 사람이 우리보다 더 많은 시간을 기도하셨다.

모든 세대에 걸쳐 하나님의 성도들은 하나님과 함께하는 많은 기도의 밤을 가진 후 사람과 함께하는 많은 능력의 낮을 가졌다는 사실은 의심의 여지가 없다.

우리가 무지한 탓으로 주님께서는 전혀 기도하실 필요가 없었을 것이라고 생각할지 모르나 그렇지 않다. 그는 다루어야 할 절박한 요청들과 활용해야 할 무수한 기회들 때문에 결코 기도하는 일을 면제받으실 수가 없었다.

주님의 인기가 절정에 달하여 매우 분주했던 어느 날이었다. 그날도 주님과 함께 있고 싶어하고 상담을 요청하는 사람들이 붐볐다. 바로 그런 때에 주님은 그들을 떠나서 따로 산에 올라가 기도하셨다(마 14 : 23).

한때 "허다한 무리가 말씀도 듣고 자기 병도 나음을 얻고자 하여" 주님께 나아왔다는 말씀이 있다. 그런데 예수님께서는 "물러가사 한적한 곳에서 기도하시니라"고 기록되어 있다(눅 5 : 15, 16). 왜? 주님은 당시 봉사보다는 기도가 훨씬 더 능률적이었기 때문이다.

우리는 너무 바빠 기도할 수 없다고 말한다. 그러나 더 바쁘실수록 우리 주님께서는 더 많이 기도하셨다. 때로는 음식을 잡수실 겨를도 없었고(막 3 : 20), 때로는 휴식하고 주무실 여유도 없었다(막 6 : 31). 그러나 항상 기도 시간을 내셨다. 우리 주님에게 그 같은 빈번한 기도나 장시간의 기도가 필요하셨는데 우리에게 그런 기도가 덜 필요하겠는가?

나는 사람들이 나의 의견에 동의하도록 설득하려고 이 글을 쓰는 것은 아니다. 그건 사소한 문제이다. 다만 진리를 알자는 것뿐이다. 스펄전은 다음과 같이 말했다.

"우리는 요점을 감추고 변죽을 울릴 필요도 없고 주님의 손에 간구하는 바가 무엇인지 불투명하게 말할 필요도 없다. 미사여구를 가려 쓰려는 노력도 적합하지 않다. 다만 우리가 원하는 바를 가장 단순하고 솔직하게 하나님께 구하자……나는 사무적인 기도를 신봉한다. 이 말은 하나님께서 그의 말씀 속에서 우리에게 주신 수많은 약속들 중에 어느 한 가지를 잡고, 마치 돈이 필요할 때 수표를 가지고 은행에 뛰어가면 현금으로 바꾸어 주듯이 확실히 성취될 것을 믿고 드리는 기도를 의미한다. 은행에 가서 계산대에 힘없이 기대어 정작 은행에 들어간 목적은 말하지도 않고 직원과 온갖 잡담을 지껄이고는 결국 필요한 돈은 찾지 않고 돌아오는 것은 도무지 있을 수 없는 일이다. 오히려 직원 앞에 소지자에게 정한 금액을 지불한다는 약속을 제시하고 어떤 화폐권으로 그 금액을 받고자 하는지 알리고 직원이 지급하면 그 자리에서 그 현금을 헤아려 보고 난 다음 돌아와서 다른 일을 보아야 하는 것이다. 이것은 천국 은행에서 공급받는 방법의 예에 불과하다."

멋진 예다! 분명한 기도를 드리자. 무엇보다도 웅변을 집어 치우자. 불필요한 잡담을 피하고 받을 것을 기대하면서 믿음으로 나아가자.

그러나 만일 은행원이 보기에 내가 돈을 받으려고 손을 올리기 전에 그것을 가로채 가려고 기다리는 힘센 흉악범이 험상 궂은 얼굴로 완전 무장하여 내 옆에 서 있는 것을 알아차린다면, 계산대 너머로 그 돈을 얼른 내게 건네 주겠는가? 그 악한이 사라지기를 기다리지 않겠는가? 이것은 허황된 공상이 아니다. 성경은 여러 가지로 이 사실을 가르쳐 주고 있다.

사탄은 우리의 기도 응답을 방해하기도 하고 지연시키기도 한다. 사도 베드로가 그리스도인들에게 촉구한 말이 있다. 즉 "너희 기도가 막히지 아니하게 하라"는 것이다(벧전 3 : 7). 우리 기도는 방해받을 수 있다.

"……악한 자가 와서 그 마음에 뿌리운 것을 빼앗나 니……"(마 13 : 19).

성경은 악한 자가 실제로 기도의 응답을 3주간 지연시킨 한 예를—아마 여러 예 중에 한 가지일 것이지만—보여 주고 있다. 이 사실을 말함은 오직 반복 기도와 지속의 필요성을 보여 주고, 사탄이 소유한 비상한 힘에 대하여 주의를 불러일으키고자 함 이다.

"그가 내게 이르되 다니엘아 두려워하지 말라 네가 깨달으려 하여 네 하나님 앞에 스스로 겸비케 하기로 결심하던 첫날부터 네 말이 들으신 바 되었으므로 내가 네 말로 인하여 왔느니라 그런데 바사국군이 이십 일일 동안 나를 막았으므로 내가 거기 바사국 왕들과 함께 머물러 있더니 군장 중 하나 미가엘이 와서 나를 도와주므로"(단 10 : 12 - 13).

우리는 기도에 대한 사탄의 반대와 방해를 간과해서는 안 된다. 우리가 만일 약속된 것이나 필요하다고 생각하는 것들을 단 한번 구하는 것으로 만족할 수가 있다면 본 장의 글은 쓸 필요가 없었을 것이다.

반복하여 구하면 안 되는가? 예컨대 하나님께서 죄인의 죽음을 원하지 않으심을 내가 알고 있다면 담대히 기도하기를 "오 하나님, 내 친구를 구원해 주옵소서" 할 것이다. 그러면 그 친구의 회심을 위해 결코 반복해서 간구할 수 없단 말인가? 조지 뮬러는 매일-더 빈번히-60년간 한 친구의 회심을 위해 기도했다.

그런데 성경은 사무적인 기도에 어떤 빛을 던져 주고 있는가? 주님께서는 끈질기고 계속적인 기도를 가르치시기 위해 두 가지 비유를 주셨다.

밤중에 친구에게 떡 세 덩이를 요구한 어떤 사람은 그의 강청함을 인하여, 문자 그대로 부끄러움을 무릅쓰고 끈질기게 요구함으로써 필요한 것을 얻었다(눅 11 : 8). 불의한 재판관에게 계속 찾아감으로써 그를 괴롭힌 한 과부는 결국 소원을 풀었다. 주님은 부언하시기를 "하물며 하나님께서 그 밤낮 부르짖는 택하신 자들의 원한을 풀어 주지 아니하시겠느냐 저희에게 오래 참으시겠느냐"(눅 18 : 7)고 하셨다.

주님께서는 배척과 모욕에 굴하지 않았던 수로보니게 여인을 얼마나 기뻐하셨는가? 그녀의 끈질긴 요청에 못이겨 주님께서는 "여자야 네 믿음이 크도다 네 소원대로 되리라"(마 15 : 28)고 말씀하셨다.

사랑하는 주님께서는 겟세마네 동산에서 자신의 기도를 거듭거듭 하실 필요를 알고 계셨다. "또 저희를 두시고 나아가 세 번째 동일한 말씀으로 기도하신 후"(마 26 : 44)라는 말씀이 반복의 필요성을 잘 보여 준다.

사도 바울도 육체의 가시를 제거해 달라고 누차 하나님께 기도한 것을 알 수 있다. 바울은 말하기를 "이것이 내게서 떠나기 위하여 내가 세 번 주께 간구하였더니"(고후 12 : 8)라고 했다.

하나님은 우리의 간구를 언제든지 즉각적으로 응답해 주실 수는 없다. 때로는 우리가 하나님의 선물을 받기에 합당하지 못할 수도 있다. 때로는 더 나은 것을 주시기 위해 "노"(NO) 하실 수도 있다.

또한 사도 베드로가 옥중에 있었을 때를 생각해 보라. 만일 당신의 자식이 부당하게 투옥되어 곧 죽게 된다고 가정하면, 당신은 "오 하나님, 이 사람들의 손에서 내 아들을 구출해 주옵소서"라는 단 한번의 기도, 즉 사무적인 기도로 만족하겠는가? 수없이 반복하여 정성을 다해 간절히 기도하지 아니하겠는가? 교회가 베드로 사도를 위해 얼마나 기도했는가를 알 수 있다.

"이에 베드로는 옥에 갇혔고 교회는 그를 위하여 간절히

기도는 고뇌 가운데 해야 하는가?　119

하나님께 빌더라"(행 12 : 5).

성경을 연구하는 사람들은 흠정역에서 "끊임없이"로 번역한 말을 개정역에서는 "간절히"로 번역하고 있음을 알 것이다. 토레이(Torrey) 박사는 어느 번역도 헬라 원문의 뜻에 충실치 못하고 있다고 지적한다. 그것은 문자적으로 "사력을 다하여"라는 의미를 지니고 있다. 즉 간절하고 긴박감이 넘치는 간구가 계속되는 상태를 묘사하고 있다. 사도 베드로를 위해 간절한 기도가 이루어졌다. 이와 동일한 말을 주님께서 겟세마네 동산에서 사용하셨다.

"예수께서 힘쓰고 애써 더욱 간절히 기도하시니 땀이 땅에 떨어지는 피방울같이 되더라"(눅 22 : 44).

보라, 간절하다 못해 고통어린 기도를! 우리들의 기도는 어떤가? 우리도 고통어린 기도가 요청되고 있는가? 하나님께서 사랑하시는 많은 성도들이 그렇지 않다고 대답한다. 그들은 이런 심령의 고뇌는 믿음의 부족을 나타내는 것이라고 생각하고 있다. 그러나 주님께서 하신 경험의 대부분은 바로 우리들의 경험이 됨을 알아야 한다.

우리가 이미 그리스도와 함께 십자가에 못박혔고 그와 함께 다시 살아났다. 그런데 우리의 영혼을 위해 그리스도의 진통이 어찌 우리의 것이 되지 않겠는가?

인간의 체험으로 돌아오라. 죄악 속에서 살고 있는 사랑하는 자녀들을 보고도 고뇌하는 기도를 하지 않을 수 있겠는가? 누구든지 믿는 자로서 영혼을 사랑하는 열정이 있다면 기도로 고뇌하지 않을 수 있겠느냐고 묻고 싶다.

존 낙스가 "오 하나님, 나에게 스코틀랜드를 주옵소서. 그렇지 않으면 나는 죽겠나이다"라고 부르짖었듯이 우리도 부르짖지 않겠는가? 성경이 다시 우리를 권면하고 있다. 모세가 하나님께 부르짖을 때 심령의 고통과 기도의 진통을 겪지 않았을까?

"슬프도소이다 이 백성이 자기들을 위하여 금신을 만들었사오니 큰 죄를 범하였나이다 그러나 합의하시면 이제 그들의 죄를 사하시옵소서 그렇지 않사오면 원컨대 주의 기록하신 책에서 내 이름을 지워 버려 주옵소서"(출 32 : 31 −32).

또한 사도 바울도 고뇌의 기도를 하지 않았던가! 보라.

"나의 형제 곧 골육의 친척을 위하여 내 자신이 저주를 받아 그리스도에게서 끊어질지라도 원하는 바로라"(롬 9 : 3).

여하간 주님께서 죄인들을 위해 울고 있는 우리들을 보신다면, 예루살렘을 향하여 눈물 흘리시던 주님, "심한 통곡과 눈물로 간구와 소원을 올리신"(히 5 : 7) 우리 주님께서 더 이상 슬퍼하지 않으실 것만은 분명하리라. 아니, 주님을 슬프게 하는 죄악을 보고 고뇌하는 우리들을 바라보실 때 오히려 주님의 마음은 기쁘실 것이다. 사실상 그렇게 많은 일을 하면서도 극소수의 회심자들만을 얻는다는 것은 고통 어린 기도가 결핍된 탓이 아니겠는가?

"그러나 시온은 구로하는 즉시에 그 자민을 순산하였도다"
(사 66:8)라는 말씀을 우리는 잘 알고 있다. 사도 바울이
"나의 자녀들아 너희 속에 그리스도의 형상이 이루기까지 다시
너희를 위하여 해산하는 수고를 하노니"(갈 4:19)를 기록할
때 이 구절을 염두에 두고 썼을 것이다. 또 이것이 영적 자녀
들에게 있어서 사실이 아니겠는가?

오, 우리의 가슴은 얼마나 차가운가! 잃어버린 저 영혼들을
위해 우리가 조금이라도 눈물을 흘리고 있는가? 죽어가는 사
람들을 위해 고통하는 자들을 어찌 감히 비판할 수 있겠는가?
안 된다!

씨름하는 기도도 있다. 이것은 하나님이 응답하시기를 원치
않기 때문이 아니라 "이 어두움의 세상 주관자들"(엡 6:12)의
대적 때문이다.

기도에 "분투"하는 것은 "투쟁"이라는 의미를 가지고 있다.
이 투쟁은 하나님과 우리 자신들 사이가 아니다. 하나님은 우리
편에서 기도에 찬동하고 계신다. 이 투쟁은 이미 정복되었지만
(요일 3:8), 악한 영에 대한 것이다. 이 악령은 우리들의 기
도를 좌절시키려고 발악하고 있다.

> "우리의 씨름은 혈과 육에 대한 것이 아니요 정사와 권세
> 와 이 어두움의 세상 주관자들과 하늘에 있는 악의 영들
> 에게 대함이라"(엡 6:12).

우리는 또한 이와 같이 그리스도 안에서 하늘에 속한 모든
신령한 복을 누리고 있다(엡 1:3). 우리는 그리스도 안에서만

승리할 수 있다. 우리들의 싸움은 우리의 생각을 사탄이 주는 생각과 대결시키고 그리스도 우리 구주께 고정시키는 일이다. 즉 깨어 기도해야 한다(엡 6 : 18). 기도를 파수해야 한다.

"성령도 우리 연약함을 도우시나니 우리가 마땅히 빌 바를 알지 못하나"(롬 8 : 26)라는 말씀이 우리를 위로한다. 교훈과 같은 실례가 없다면 어떻게 성령이 우리를 돕고 가르칠 수 있겠는가? 성령이 어떻게 기도하는가?

"오직 성령이 말할 수 없는 탄식으로 우리를 위하여 친히 간구하시느니라"(롬 8 : 26).

성령도 아들 예수님이 겟세마네에서 기도하심과 같이 고통어린 기도를 하실까?

만일 성령이 우리 안에서 기도하신다면 우리는 그의 탄식을 나누어 가져야 하지 않겠는가? 만일 때때로 우리가 고통어린 기도를 함으로써 몸이 약해진다면 천사들이 주님을 도왔던 것 같이(눅 22 : 43) 우리를 강하게 해주시지 않겠는가? 우리는 느헤미야와 같이 울고 슬퍼하며 하나님 앞에 금식하며 기도해야 할 것이다(느 1 : 4). 그러나 "죄에 대한 극한 슬픔이나 타인의 구원을 위한 열렬한 갈망은 우리 마음속에 불필요한 고통을 자아내거나 하나님 앞에 불경건한 고민을 나타내는 것이 아니겠는가?" 하고 사람들은 질문한다.

그것은 하나님의 약속에 대한 믿음이 없어서가 아닐까? 아마 그럴 것이다. 그러나 사도 바울이 기도를 적어도 때에 따라서는 싸움이라고 한 것은 거의 의심할 여지가 없다(롬 15 : 30 참조). 골로새 교인들에게 편지하면서 "……무릇 내 육신의 얼굴을 보지 못한 자들을 위하여 어떻게 힘쓰는 것을 너희가 알기를 원하노니 이는 저희로 마음에 위안을 받고"(골 2 : 1-2)라고 했다. 이것은 분명히 그들을 위한 기도를 가리킨다.

또다시 그는 에바브라에 대하여 "저가 항상 너희를 위하여 애써 기도하여 너희로 하나님의 모든 뜻 가운데서 완전하고 확신있게 서기를 구하나니"(골 4 : 12)라고 말한다.

"애쓰다"라는 말은 바로 우리가 말하는 "고통"이라는 말이며 주님께서 자신이 기도하실 때 "간절히" 하셨다는 말과 같다(눅 22 : 44).

사도 바울은 또 에바브라가 그의 기도로 "너희를 위하여 많이 수고했다"고 말한다. 바울 사도는 그가 옥에서 기도하는 것을 보고, 골로새 교인들을 위해 끊임없이 애쓰고 있는 그의 강렬한 분투를 증거했다. 바울을 지키는 로마의 근위병은 이들의 기도를 보고 감동을 받았을 것이다. 그래서 그들이 묶인 손을 들고 기도할 때 그들의 고뇌와 눈물 그리고 간절한 탄원을 통해 틀림없이 무엇인가 깨닫는 바가 있었을 것이다. 그들이 우리들의 기도를 보면 어떻게 생각할까?

사도 바울이 에베소 교인들과 다른 사람들에게 "모든 기도와 간구로 하되 무시로 성령 안에서 기도하고 이를 위하여 깨어 구하기를 항상 힘쓰며 여러 성도를 위하여 구하고 또 나를 위하여 구할 것은……이 일을 위하여 내가 쇠사슬에 매인 사신이 된 것은……"(엡 6 : 18-20)이라고 촉구할 때, 그 자신의 평소 습관을 말한 것임을 의심할 바가 없다. 이것이 그 자신의 기도생활을 묘사한 것이라고 믿어도 좋을 것이다.

그러나 기도는 장애물을 만나는데, 그 장애물은 기도로 제거해야 한다. 소위 기도로 극복했다는 말은 바로 이런 것을 의미한다. 우리는 사탄의 음모를 대적하여 싸워야 한다. 이것은 육체적 연약함이나 고통 또는 집요하게 파고드는 다른 생각, 의심, 악한 영들의 직접적 공격일 수도 있다.

사도 바울과 마찬가지로 기도는 우리에게 최소한 때에 따라서는 일종의 "싸움"이요 "씨름"으로 우리로 스스로 분발하여 하나님을 붙잡게 만드는 것이다(사 64 : 7). 아직 기도로 씨름하는 사람이 거의 없다고 한다 해서 우리가 잘못됐다 하겠는가? 우리는 씨름하고 있는가? 그러나 우리 주님의 능력과 은혜의 풍성함을 결코 의심하지 말자.

행복한 그리스도인 생활의 비결(*The Christian's Secret of a Happy Life*)이라는 책의 저자 한나 스미스(Hannah Smith)는 세상을 떠나기 직전에 가까운 친구들에게 자신의 생애에 겪었던 사건을 말해 주었다. 아마 이 사건을 널리 공개해도 좋을 것이다.

한 부인 친구가 가끔 2-3일씩 그녀를 방문하는데, 그것이 그녀의 성미와 인내력에는 언제나 커다란 시련거리가 되었고 정말 부담을 주었다. 그녀는 이러한 방문이 있을 때마다 많은 기도로 준비를 해야 했다.

한번은 이 비판적인 그리스도인이 일주일 동안 와 있겠다고 통보를 해 왔다. 그녀는 밤을 새워 기도하는 것밖에는 이 큰 시험을 이길 길이 없다고 판단했다.

그래서 비스킷을 작은 쟁반에 담아 가지고 침실에 들어가 하나님 앞에 무릎 꿇고 밤이 맞도록 기도하면서 친구의 방문 동안 즐겁고 애정 넘치는 시간을 갖도록 은혜 베풀어 주시기를 간절히 구하기로 했다. 그녀가 침대 옆에 무릎을 꿇고 앉기가 무섭게 빌립보서 4 : 19 말씀이 섬광처럼 스쳤다.

"나의 하나님이 그리스도 예수 안에서 영광 가운데 그 풍성한 대로 너희 모든 쓸 것을 채우시리라."

그녀의 공포는 사라졌다. 그녀는 말하기를 "나는 하나님의 선하심을 실감하고 감사드리며 찬송하고는 침대에 뛰어 올라 실컷 잘 수가 있었다. 다음날 나의 친구가 도착했을 때 나는 그녀의 방문을 진정으로 반겼다"고 했다.

아무도 기도의 원칙을 확고 부동하게 정할 수 없으며 자기 자신에게도 그렇게 할 수가 없다. 오직 하나님의 은혜로우신 성령만이 순간순간 우리를 인도하실 수가 있다. 그러나 우리가 문제를 떨쳐 버려야 한다. 하나님께서는 우리의 재판자이시요 안내자이시다. 그러나 기도는 여러 면이 있는 것임을 기억하자.

모울(Moule) 주교가 말한 바와 같이 "진정한 기도는 여하한 환경에서도 할 수 있다."

기도는 무거운 탄식이요
떨어지는 눈물이요
위를 바라보는 눈이다
오직 하나님만 가까이 계실 때.

기도는 바로 당신의 요구를 하나님께 알리는 것이다(빌 4 : 6). 기도가 항상 싸움이요 씨름이라고 생각할 수는 없다. 만일 그렇다면 많은 사람들이 육체적으로 쇠잔하고 신경쇠약에 걸려 곧 무덤으로 향하게 될 것이다.

그리고 많은 사람들은 기도 자세로 장시간 지탱하는 일이 육체적으로 불가능하다. 모울 박사는 다음과 같이 말했다.

"참되고 승리하는 기도는 최소한의 육체적인 노력이나 어려움 없이 계속적으로 드려지는 것이다. 가장 오래 지속되는 기도는 종종 영혼과 육체가 가장 평온한 상태 가운데서 이루어진다. 그러나 다른 측면이 하나 있다. 기도는 단순하고 편의적이지만, 결코 나태한 편의는 아니다. 기도는 하나님과 인간 사이의 무한히 중대한 교류를 하기 위한 것이다. 그러므로 진정한 기도가 되기 위해서는 노력, 끈질김, 싸움을 수반하는 일이라고 보아야 한다."

남의 기도를 규정해 줄 수 없다. 각자 마음속에 기도하는 방법을 정하자. 그러면 성령께서 우리에게 감화를 주시며 얼마나 오래 기도해야 할지 인도하실 것이다. 그리고 우리 구주 하나님의 사랑으로 충만케 되어 언제 어디서나 기도가 은혜의 수단인 동시에 기쁨이 되게 하자.

오늘도 날마다
우리의 부족을 채우시는 목자여
시험에 빠진 주의 양들에게
깨어 기도할 능력 주소서.

대신 간구하시는
은혜의 성령이여
우리에게 주장하는 믿음을 주소서.
주의 얼굴을 뵈올 때까지
주의 감추인 이름을 알 때까지
씨름하게 하소서.

제 8 장

하나님은 모든 기도에 응답하시는가?

이제 누구나가 질문할 수 있는 가장 중요한 문제 중의 하나를 살펴보기로 하자. 이 문제에 대한 대답에 따라서 많은 것이 좌우된다. 조금도 주저하지 말고 이 질문을 공정하고 정직하게 살펴보자.

하나님은 언제나 응답하시는가? 물론 하나님께서 기도에— 일부 기도에 대해—응답하신다는 것을 우리는 인정한다. 그러나 하나님께서는 진실한 기도라면 무엇이든지 들어주신다. 소위 어떤 기도는 응답받지 못한다. 왜냐하면 하나님께서 그것들을 듣지 않으시기 때문이다. 자기 백성들이 반역하였을 때 하나님께서 이렇게 말씀하셨다.

"너희가 많이 기도할지라도 내가 듣지 아니하리라"(사 1 : 15).

그러나 하나님의 자녀는 기도의 응답을 기대해야 한다. 하나님은 모든 기도에 응답하시기 원하신다. 진실한 기도는 단 하나도 하늘에서 무위로 돌아가지 않는다.

그런데 사도 바울이 선언한 바 "……만물이……다 너희 것임이라……너희는 그리스도의 것이요……"(고전 3 : 21-22)라고 한 말이 대부분의 그리스도인들에게는 너무나도 분명하게 또 너무나도 비참하게 거짓말 같아 보인다. 그러나 거짓말이 아니다. 모든 것은 우리들의 것이다. 그러나 너무나 많은 사람들이 우리의 것을 소유하지 못하고 있다.

퀸즈랜드의 모건(Morgan)산의 소유주들은 지금까지 세상에 알려진 것 중에 가장 풍부한 금맥이 그들의 발 밑에 있다는 것을 알지 못한 채 산비탈의 메마른 땅을 일구어 가며 비참한 생활을 이어갔다. 거기에는 막대한 부가 묻혀 있었다. 꿈에도 상상할 수 없고 이해할 수도 없는 양의 금이 묻혀 있었다. 그것은 "그들의 것"이었지만 그들의 것이 아니었다.

그리스도인들은 그리스도 예수 안에서 하나님의 풍성함을 알고 있다. 그러나 그것들을 획득하는 방법을 모르고 있는 것 같다. 우리 주님께서 "기도 문제"에 바른 판단력을 주시기 원한다.

참된 기도는 응답되지 않는 것이 없다고 말할 때, 하나님은 우리가 구하는 것은 무엇이든지 그대로 주신다고 하는 말은 아니다. 자녀를 그처럼 어리석게 다루는 부모가 어디 있겠는가? 우리는 어린 아이가 벌겋게 달아 오른 부지깽이를 아무리 극성스레 달라 해도 주지 않는다. 부요한 사람일수록 자식들에게 용돈을 많이 주지 않으려고 더욱 주의한다.

만약 우리가 간구한 대로 하나님께서 다 응답하신다면, 이 세상을 다스리는 것은 우리지 하나님이 아니다. 우리는 결코 세상을 다스릴 능력이 없다고 고백할 것이다. 더욱이 이 세상에는 통치자가 둘이 있을 수가 없다.

기도에 대한 하나님의 응답은 아마 "예" 또는 "아니오"일 것이다. 때로는 하나님께서 우리가 상상할 수 없는 큰 축복과, 우리들 자신과 함께 다른 사람들이 관련된 복을 계획하고 계시면서 "기다려라" 하실 수도 있다.

하나님의 응답은 간혹 "아니오"이다. 그러나 이것이 반드시 알고 있는 죄나 고의적 죄 때문인 것만은 아니다. 물론 무지의 죄도 있을 수 있다. 하나님께서는 때로 사도 바울에게 "아니오" 라고 하셨다(고후 12 : 8-9).

때로는 하나님의 거절이 우리들의 기도의 무지나 이기심 때문일 수도 있다. 이는 "우리가 마땅히 빌 바를 알지 못하기" 때문이다(롬 8 : 26). 세베대 아들의 어머니가 범한 잘못이 그런 것이다. 그녀는 와서 주님께 절하며 간절히 구했다. 그때 주님은 즉시 대답하시기를 "너희 구하는 것을 너희가 알지 못하는도다"(마 20 : 22) 하셨다.

위대한 기도의 사람 엘리야도 때로는 기도의 응답으로 "아니오"를 얻었다. 그러나 엘리야가 불수레를 타고 하늘 영광 가운데로 승천하면서 그는 "오 여호와여, 지금 내 생명을 취하시옵소서" 하고 기도하였을 때, 하나님께서 "아니오"라고 하신 것을 원망했겠는가?

하나님의 응답은 때로 "기다리라"이다. 탄원한 선물을 받기에 합당하지 않기 때문에 하나님께서는 지연시키시는 것이다. 어거스틴의 유명한 기도—"오 하나님, 나를 정결하게 하소서. 그러나 지금은 그리 마옵소서"—를 기억하고 있는가? 종종 우리들의 기도도 그렇지 않은가? 우리는 응답된 기도의 대가를 치르는 "잔을 마시려" 하고 있는가? 하나님께서 가끔 응답을 지연시키심으로 그분 자신에게 더 큰 영광이 돌아가게 하신다.

하나님의 지연은 거절이 아니다. 하나님께서는 왜 가끔 응답을 지연시키시는지 또 어떤 때에는 왜 우리가 부르기 전에 응답해 주시는지 알 수 없다.

역사 이래로 가장 위대한 기도의 사람 중 하나인 조지 뮬러는 친구 한 사람을 회심시키기까지 63년 이상 기도하지 않으면 안 되었다. 누가 그 이유를 설명할 수 있겠는가? "가장 중요한 점은 응답이 올 때까지 결코 포기해서는 안 된다는 것이다"라고 뮬러는 말한다. 또한 그는 "나는 한 사람의 회심을 위해 63년 8개월간을 기도해 왔다. 아직 그는 돌아오지 않았다. 그러나 돌아올 것이다. 어찌 그렇지 않을 수 있으랴? 변함없는 여호와의 약속이 있으니 나는 그것을 의지한다"라고 말한다.

이것이 사탄의 끊임없는 방해 때문이라고 함이 옳을는지(단 10 : 13). 그것은 사탄이 뮬러의 신앙을 뒤흔들어 무너뜨리려는 강렬하고도 지속적인 노력이었을까? 뮬러가 죽자마자 그의 친구가 회심했다. 그는 뮬러의 장례식 전에 회심하였다.

그렇다. 비록 응답이 지체하였지만 그의 기도는 상달되었다. 조지 뮬러는 많은 간구의 응답을 받았다. 그가 한때 부르짖은 말이 자못 자연스럽게 들린다.

> "오! 우리가 상대해야 하는 그분은 얼마나 선하고 친절하시고 은혜로우시며 겸손하신지! 나는 다만 가난하고 연약하며 죄 많은 인간이오나 그는 나의 기도를 일만 번이나 들어주셨도다."

어떤 이들은 하나님께서 나의 기도에 대하여 안 된다고 하시는지 아니면 기다리라고 하시는지 어떻게 확인할 수 있느냐고 물을지도 모른다. 그러나 하나님께서는 안 된다라는 응답을 주시고자 63년간 기도하도록 내버려 두시지는 않는다는 점은 보장할 수가 있다. 그토록 오랫동안 계속된 뮬러의 기도는 하나님께서 죄인의 죽음을 원치 않으시고 모든 사람이 구원받기를 원하신다는 인식에 기초를 두고 있었다(딤전 2 : 4).

내가 이 글을 쓰고 있는 동안 집배원이 이런 내용의 편지를 전해 주었다. 내게 좀처럼 편지하지 않던 사람으로부터 온 것이었다. 나의 주소도 모르는 사람이었다. 영국 그리스도인들에게 널리 알려진 사람이었다. 사랑하는 사람이 병으로 괴로워한다는 것이었다. 그녀의 회복을 위해 그는 계속 기도해야 할 것인가? 하나님의 응답은 "안 된다"일까 아니면 "계속 기도하라—기다리라"일까? 그 친구의 편지는 다음과 같았다.

> "나는 나의 사랑하는 자에 관해 하나님의 명확한 안내를 얻었네……그녀를 취해 가는 것이 하나님의 뜻이었다는 말일세……나는 하나님의 뜻에 맡기고 굴복하여 손을 떼고 말았어. 오히려 하나님께 더 찬양하게 되었네."

수시간 뒤 하나님께서는 사랑하는 그녀를 영광 중에 불러 가셨다.

다시금 독자 여러분에게 "진실한 기도는 결코 불응이 없다"는 이 한 가지 진리를 붙들기를 촉구한다.

만일 우리들의 기도에 대해 좀더 생각을 한다면 보다 현명한 기도를 하게 될 것이다. 그것은 자명한 일이다. 그러나 일부 그리스도인들은 기도하기 전에 자신들의 상식과 이성을 제쳐놓고 있는 것 같기 때문에 그런 말을 하는 것이다. 조금만 숙고한다면 하나님께서 어떤 기도들은 응답해 주실 수 없다는 사실을 알 수가 있을 것이다.

전시에 나라마다 승전을 위해 기도하였다. 그러나 모든 나라가 승리할 수는 없다는 것은 명백한 사실이다. 두 사람이 함께 살면서 한 사람은 비가 오기를 기도하고 다른 한 사람은 쾌청하기를 기도했다고 하자. 이런 경우 하나님께서는 두 사람의 기도를 같은 장소에서 동시에 응답해 주실 수가 없으시다.

그러나 하나님의 진실성이 그런 기도의 문제에 걸리게 된다. 우리는 주님의 그 놀라운 기도 약속들을 읽고 "무엇이든지"라는 말의 광범위한 영역과 충분한 의도와 거대한 규모에 거의 실신할 지경이다.

"하나님은 참되시다 할지어다"(롬 3 : 4).

그는 분명히 항상 참되시다 할지로다.

하나님께서 필자의 모든 기도를 응답해 주셨는지 물어본다면 나는 그러지 않으셨다고 할 것이다. 만일 일부 기도에 응답해 주셨다면 축복 대신에 저주가 되었을 것이다. 또 다른 기도에 대해서 응답하기에는 영적으로 불가능한 일이었다. 즉 필자가 구한 은혜를 받을 자격이 없었다. 어떤 기도는 응답되면 영적 교만과 자만만 자랄 뿐이다. 하나님의 성령의 충만한 빛 가운데서 보니 이 모든 사실이 얼마나 명백하게 보이는지 모르겠다.

과거를 돌이켜보면서 자신의 열정적이고 진지한 기도를 자신의 빈약하고 무가치한 섬김, 진정한 영성의 결핍과 비교해 볼 때, 하나님께서 주시고자 원하신 그 은사를 도저히 받을 수 없었음을 발견하게 될 것이다. 그것은 마치 바다 같은 하나님의 사랑을 골무만한 자기 가슴에다 부어 달라는 요구와도 같은 것이다.

그러나 하나님께서는 모든 영적인 축복으로 우리에게 복 주시기를 얼마나 원하시는지 모른다. 사랑하는 구주께서 얼마나 부르짖으시는가?

"예루살렘아 예루살렘아 선지자들을 죽이고 네게 파송된 자들을 돌로 치는 자여 암탉이 그 새끼를 날개 아래 모음 같이 내가 네 자녀를 모으려 한 일이 몇 번이냐 그러나 너희가 원치 아니하였도다"(마 23 : 37).

그 모든 슬픈 사실은 우리가 간구하고도 우리들의 무자격 때문에 응답받지 못한다는 것이다. 그러고도 하나님께서 우리들의 기도를 들어주시지 않는다고 불평한다.

주 예수님께서는 하나님께서 성령을 주신다고 선언하신다. 그 성령은 우리에게 기도하는 법을 가르쳐 주신다. 마치 아버지께서 기꺼이 좋은 선물을 그 아들에게 주시는 것과 같이 우리에게 주시는 것이다. 그러나 아들이 그 선물을 쓰기에 합당치 않다면 그 선물은 더 이상 좋은 선물이 될 수 없다. 하나님께서는 우리가 그의 영광을 위해 쓸 수 없는 것이나 쓰지 않을 것을 주시지 않으신다(나는 재능을 말하는 것이 아니라 영적 은사를 말한다. 왜냐하면 재능을 남용하거나 묻어둘 수도 있기 때문이다).

아버지가 어린 아들이 원한다고 해서, 면도칼을 주는 사람을 본 일이 있는가? 아버지는 분명히 "애야, 좀더 있다가 크고 지혜가 생길 때까지 기다려라" 하지 않겠는가? 사랑하는 천부께서도 우리들에게 동일한 말씀으로 "기다리라" 하시지 않겠는가? 우리는 무지하고 어두워 종종 다음과 같이 말하지 않으면 안 된다.

하나님께서는 주시고 싶어도
우리의 연약성이 그것을 오용할까봐
지극한 사랑으로 거절하신다.

하나님께서는 결코 내일의 은사를 오늘 주시지 않는다는 사실을 명심하라. 하나님께서 주실 의향이 없어서 그러시는 것이 아니다. 하나님 자신이 편협해서도 아니다. 그의 자원은 무한정하고, 하나님의 길은 우리가 헤아릴 수 없다. 주님께서 제자들에게 "구하라"는 명령을 내리신 다음 하나님의 섭리와 자원을 말씀하셨다.

"공중의 새를 보라……너희 천부께서 기르시나니"(마 6 : 26).

얼마나 단순한 말씀인가? 그러나 당신은 전세계 어느 백만장자가 "공중의 새들"을 단 하루만이라도 먹일 수 있는지 생각해 본 적이 있는가? 천부께서는 매일 그들을 먹이시고 계시며 조금도 모자람이 없다. 하물며 하나님께서 여러분을 먹이시고 입히시고 돌보시지 않겠는가?

기도를 좀더 신뢰하자. "하나님께서 자기를 찾는 자들에게 상주시는 자이심을"(히 11 : 6) 모르고 있는가? 성령의 기름은 그것을 받을 수 있는 그릇이 비어 있는 한 결코 그치지 않는다 (왕하 4 : 6). 성령의 사역이 멈추게 될 때 잘못은 항상 우리 들에게 있다. 하나님은 일부 그리스도인들에게만 성령 충만을 주실 수 없다. 하나님은 일부 일꾼들에게만 그들의 수고의 결 과를 주실 수 없다. 그러면 그들은 교만과 허영의 병에 걸릴 수 있다. 우리는 모든 그리스도인들이 간구하는 모든 것을 하나님 께서 다 허락하셔야 한다고 주장하지 않는다.

앞장에서 고찰했듯이, 만일 우리가 주님의 이름으로 기도하 려면 순수한 마음, 순수한 동기 그리고 순수한 욕구가 있어야 한다. 하나님께서는 그의 약속보다 크신 분이며, 때로는 우리가 받을 자격이 있거나 원한 것 이상의 것도 주신다.

그러나 항상 그렇게 주시는 것은 아니다. 그래서 어떤 기도가 응답되지 않으면 우리는 하나님께서 분명히 우리 마음을 살펴 보라고 요구하신다고 생각해도 좋을 것이다. 그 이유는 그가 그의 이름으로 진실하게 기도하면 모든 기도를 들어주시겠다고 약속해 주셨기 때문이다.

하나님의 축복의 말씀을 다시 한번 되새겨 보자. 아무리 되 새겨도 지나치지 않을 것이다.

"내 이름으로 무엇을 구하든지 내가 시행하리니 이는 아 버지로 하여금 아들을 인하여 영광을 얻으시게 하려 함이 라 내 이름으로 무엇이든지 내게 구하면 내가 시행하리라" (요 14 : 13 – 14).

그리스도께서 드리신 기도가 응답되지 않을 수 없었다는 사 실을 기억하라. 그는 하나님이셨고—하나님의 마음을 아셨고—

성령의 마음을 가지셨다.

예수님께서 겟세마네 동산에서 고민하사 무릎을 꿇고 피땀을 흘려 기도하시면서 "아버지여 만일 할 만하시거든……하옵소서"(마 26 : 39)라고 기도하시지 않으셨는가? 그러셨다. 그리고 그는 그의 경외하심을 인하여 들으심을 얻었다(히 5 : 7). 실로 고민이 아니라 아들의 두려움으로써 응답을 받지 않으셨는가? 우리들의 기도가 중요하기 때문이 아니라 하나님의 자식이 드리는 것이므로 응답되는 것이다.

그리스도인 형제들이여, 우리는 두려움과 경외가 가득한 그 신성한 장면들을 충분히 이해할 수 없다. 그러나 우리 주님께서는 순수할 수 없는 것이나 지키실 의도가 없는 약속은 하시지 않는다는 사실만은 분명하다.

성령께서 우리를 위해 중보의 기도를 드리시며(롬 8 : 26), 하나님께서는 성령께 "안 된다"라고 말씀하실 수 없다. 예수님께서 우리를 위해 중보의 기도를 드리시며(히 7 : 25), 하나님께서는 예수님께 "안 된다"라고 말씀하실 수 없다. 그 분의 기도는 우리들의 기도를 수천 배 능가한다. 그런데 그런 분이 우리에게 기도를 명령하신다.

그러면 "사도 바울은 성령에 충만하여 우리는 그리스도의 마음을 가졌노라고까지 아니하였는가?" 그러나 그는 하나님께 세 번이나 그의 육체의 가시를 제거해 달라고 간구했으나 하나님께서는 분명히 들어주시지 않겠다고 말씀하시지 않았는가?

이것 역시 매우 단순한 것이다. 사도 바울이 자기의 사적인 필요를 요구한 기록으로 이 간구만이 거절된 것이다. 그러나 난처한 것은 "왜 그리스도의 마음을 가진 사도 바울이 하나님의 바라는 바에 상반되는 줄 알텐데 간구했느냐?"는 점이다. 물론

이 글을 읽는 헌신된 그리스도인들 중에도 자신의 기도가 응답되지 않아서 당황하는 사람들의 많이 있을 줄 안다.

우리는 성령으로 충만해 있을지라도 아직 판단이나 요구에 오류를 범할 수 있음을 명심해야 한다. 우리는 한꺼번에 영원히 성령 충만을 받을 수 없다는 사실도 기억해야 한다.

마귀는 항상 그의 마음을 우리 속에 침투시키려고 노리고 있으며 우리를 통해 하나님과 충돌하고자 한다. 어느 순간이든 우리는 불순종하게 되거나, 불신앙하게 될 수 있으며 또 사랑의 성령에 상충되는 생각이나 행동에 빠질 수 있다.

사도 베드로의 생애에서 이에 대한 무서운 예를 볼 수 있다. 하나님의 성령의 강력한 영향 아래서 한때 그는 "주는 그리스도시요 살아 계신 하나님의 아들이시니이다"(마 16 : 16)라고 외쳤다. 주님께서 돌아보시면서 크게 칭찬하시기를 "바요나 시몬아 네가 복이 있도다 이를 네게 알게 한 이는 혈육이 아니요 하늘에 계신 내 아버지시니라"(마 16 : 17) 하셨다.

그러나 잠시 후에 사탄이 그의 마음에 들어갔고 주님께서는 그에게 "사탄아 내 뒤로 물러가라"(마 16 : 23)고 말씀하셨다. 그때 사도 베드로는 사탄의 이름으로 말하고 있었던 것이다. 사탄은 지금도 여전히 우리를 "장악하려고" 하고 있다.

사도 바울은 "가시"만 제거될 수 있다면 사랑하는 주님을 위해 훨씬 더 일을 잘 할 수 있을 것이라는 생각에 유혹당했다. 그러나 하나님께서는 그 가시를 바울에게서 제거하기보다 오히려 남겨 두는 것이 유익할 것을 아셨다.

우리에게 장애와 핸디캡이 되는 것이 제거되기보다는 그대로 있는 것이 오히려 하나님께 영광이 된다는 것을 알면 더 위로가 되지 않을까?

"내 은혜가 네게 족하도다 이는 내 능력이 약한 데서 온전하여 짐이라"(고후 12 : 9).

다음 글귀를 기억하라.

하나님은 무엇을 행하시지도 방치하시지도 않는다.
그러나 그대 스스로가 할 일을
그대가 하고 나면
하나님께서 하신 모든 결과를 보리라.

바울도 완벽하지는 못했다. 베드로도 그랬고, 요한도 그랬고, 교황도 기타 여하한 사람도 마찬가지다. 우리도 잘못된 기도를 드리고 있을 수도 있다. 최상의 기도 형태는 "오 하나님, 나의 길이 아니라 주의 길을"이 아니고 "오 하나님, 나의 길이 당신의 길이니이다"이다. 우리는 "주의 뜻을 고치소서"가 아니라 "주 뜻이 이루어지이다"라고 기도하라고 배운다.

결론으로 하나님을 신뢰할 수 있다는 것을 증명해 준 두 사람의 간증을 제시하고자 한다.

위대한 탐험가 스탠리(H. M. Stanley) 경은 다음과 같이 기록하고 있다.

"나 자신은 기도가 효험이 없는 것이라고 감히 말할 수 없다. 진지하게 기도했을 때는 응답을 받았다. 나의 수행자들을 에워싸고 있던 위험을 지혜롭게 빠져 나갈 수 있도록 안내의 빛을 간구하였을 때 한 줄기 광선이 당혹한 마음에 비쳐 왔으며, 분명한 구원의 대로가 제시되었다.

기도의 응답이 온다는 것은 누구든지 하나님 앞에 소원을 아뢰고 자리에서 일어설 때에 그의 마음속에 만족이 오는 것으로 알 수 있을 것이다. 나는 기도가 응답된다는 나 자신의 확실한 증거가 있다."

서부 아프리카에서의 삶으로 모든 이들에게 감동을 던져 준 마리 슬레소(Mary Slessor)는 한때 기도가 그녀에게 무슨 의미가 있었느냐는 질문을 받았다. 그녀의 대답은 이러했다.

"나의 생애는 매일 매시 육체적 건강과 정신적 긴장의 해소, 기적적 안내, 오류와 위험으로부터의 도피, 복음에 대한 증오심의 극복, 필요한 양식의 적시 공급, 그 밖에 나의 삶과 봉사에 필요한 모든 것에 대한 기도 응답으로 점철된 하나의 장대한 기록이다. 나는 하나님께서 기도를 응답하신다는 믿음을 얼마든지 증명할 수 있다. 나는 하나님께서 기도를 응답하심을 안다."

제 9 장

기도의 응답들

어느 사람이라도 본장에 더 놀라운 제목을 붙이고 싶어할 것이다. 대단한 응답들, 놀라운 응답들, 경이로운 응답들. 그러나 하나님께는 기도 응답하시는 것이 우리가 구하는 것처럼 지극히 자연스러운 일이라는 것을 알아야 한다. 하나님께서는 우리의 기도 들으시기를 얼마나 기뻐하시며 또 그 기도에 응답하시기를 얼마나 좋아하시는지!

어떤 부자가 가난에 쪼들린 사람에게 은혜를 베풀거나 아니면 선교회의 심각한 적자 상황을 완전히 해소했다는 소식을 들을 때 "그런 일을 할 수 있다니 얼마나 훌륭한 일인가!" 하고 감탄한다.

그런데 만일 하나님께서 우리를 사랑하시고 그것이 사실임을 우리가 알고 있다면, 우리가 간구한 것을 응답해 주시는 것이 하나님께는 큰 기쁨이 되리라고 생각하지 않는가?

그러므로 지금까지 우리의 주의를 끌어온 수많은 기도 응답

가운데 한두 가지를 자세히 살펴보고자 한다. 그렇게 함으로써 더욱 담대하게 은혜의 보좌로 나아갈 수 있지 않겠는가? 하나님께선 우리가 기도하는 자들을 구원해 주신다. 실행해 보라.

며칠 전에 기도를 많이 하는 어떤 분과 함께 이 문제에 대하여 환담을 하는 가운데 그는 느닷없이 "당신은 ○○교회를 아십니까?" 하고 질문을 던졌다.

"잘 알고 있죠. 몇 차례 가봤으니까요."

"내가 거기 살고 있었을 때 일어났던 일을 말씀드릴까 합니다. 우리는 매주일 8시 대예배(communion service)를 드리기 전에 기도회를 가졌습니다. 어느 주일에 우리가 기도를 마치고 일어서려는 순간 한 헌금위원이 '목사님 내 아들을 위해 기도해 주시기 바랍니다. 올해 스물 두 살이나 되었는데 몇 년간 교회 출석을 하지 않고 있습니다' 하고 부탁을 했습니다. 그 목사님은 '지금 우리는 5분을 낼 수 있습니다'고 말씀하시고는 다시 무릎을 꿇고 그를 위하여 간절히 기도를 드렸습니다. 그런데 이 사실을 그에게 전혀 말하지 않았음에도 불구하고 그 청년은 바로 그날 저녁에 교회에 나왔습니다. 설교 가운데 무엇인가가 그에게 죄를 깨닫게 해주었습니다. 그는 완전히 상한 마음으로 기도실에 들어가 예수 그리스도를 그의 구세주로 영접했습니다."

어느 날 아침 교구의 처치 아미(Church Army : 영국 국교회의 전도봉사단) 대장으로 일하는 친구가 주례 직원회의에 참석했다.

그는 목사님께 "어제 밤의 그 회심은 기도에 대한 하나의 도전이었습니다. 하나님께서 주신 도전이었습니다. 그 도전을 받아들일 수 있을까요?" 했다.

"그건 무슨 말씀이죠?" 하고 목사님이 되물었다.

"에……우리가 이 교구에서 가장 악한 사람 하나를 골라 그를 위해 기도하자는 것입니다"라고 그가 말했다.

그리하여 만장일치로 가장 악하다고 알려진 모씨를 선정하고, 그의 회심을 위해 기도하기로 결정했다. 주말에 그들이 선교실에서 토요일 밤 기도회를 열고 있는데 그들의 입술에서 바로 그 사람의 이름이 오르내리고 있을 때, 문이 갑자기 열리면서 그 악한 모씨가 술에 만취하여 비틀거리며 나타났다.

그는 이전에는 한번도 선교실에 와 본 적이 없었다. 그는 모자를 벗으려고도 하지 않고 손에 얼굴을 파묻은 채 출입문 가까이에 있는 의자 위에 털썩 주저앉았다. 별안간 기도회는 구도실이 되어버렸다.

비록 그는 술에 취해 있었지만 그는 자기를 찾고 계시는 분, 주님을 찾았던 것이다. 그는 되돌아가지 않았다. 오늘날 그는 그곳의 가장 훌륭한 선교원 중의 한 사람이 되었다.

아, 어찌하여 우리들은 회심하지 않은 친구들을 위해 기도하지 않는가? 우리가 그들에게 간청하면 그들이 우리의 간청을 듣지 않을지도 모른다. 그러나 그들을 위해 기도한다면 그들은 더 오래 버티지 못한다. 가장 악한 자의 구원을 위하여 두세 사람이 함께 기도하면서 하나님께서 어떻게 역사하시는가 보라! 하나님께 아뢰고 신뢰하라. 하나님께선 놀라운 방법으로 역사하신다. 신비한 방법으로 기적을 행하신다.

최근 단 크로포드(Dan Crawford)가 휴가를 마치고 그의 선교지로 돌아갈 때 신속하게 가야 할 필요가 있었다. 그러나 수심이 깊은 강이 홍수가 져서 건널 수가 없었다. 보트는 이 급류를 당할 수 없었다. 그래서 그와 그의 일행은 여장을 풀고 기도에 들어갔다. 불신앙자들은 크게 웃었을 것이다. 어떻게 하나님께서 그 강을 건너게 해주실 수 있단 말인가! 그러나 그들이 기도하고 있는 동안에 수십 년 동안 강가에 굳건하게 서 있던 거대한 나무가 비틀거리기 시작하더니 마침내 쓰러졌다. 그것이 강물을 가로질러 넘어진 것이다. 크로포드의 말처럼 "하나님의 종들을 위해 하늘의 공병대들이 내려와 다리를 건설해 주었다."

수많은 젊은이들이 이런 기도 이야기들을 읽을 것이다. 하나님께서 지금도 그 아이 아니면 그 소녀의 소리를 들으시고 계심을 상기시켜 줄 수 있을까? (창 21 : 17 참조) 그들을 위해 다음과 같은 기사를 덧붙인다. 동시에 기도가 그들의 유업이 되고, 그들의 삶이 되며, 응답받는 기도가 매일의 경험이 되기를 간절히 바란다.

얼마 전에 체푸의 선교 학교에서 기숙하고 있던 마나시라는 12세의 중국 소년이 휴일을 맞아 집으로 돌아갔다. 그는 본토 목사의 아들이었다.

그가 아버지의 집 문 앞에 서 있을 때 그를 향해 뛰어오고 있는 말탄 사람을 발견했다. 그 사람은 이교도로서 대단히 당황하고 있었다. 그는 정신없이 예수쟁이—목사—를 찾는 것이었다. 그 소년은 자기 아버지가 출타했다고 일러 주었다. 가엾은 그 사람은 너무나 실망했다. 그는 다급하게 찾아온 경위를 설명했다.

이교도 친구의 며느리에게서 귀신을 쫓아내기 위해 "거룩한 사람"을 보내 달라는 부탁을 전하려고 수마일 밖에 있는 이교도

마을에서 왔다는 것이었다. 그 젊은 부인은 귀신이 들려서 헛소리를 지껄이고 욕설까지 퍼부으면서 머리카락을 풀어 헤치고 얼굴을 할퀴며 옷을 찢고 가구를 부수고 음식이 담긴 그릇까지 팽개친다는 슬픈 사연을 마구 쏟아 놓는 것이었다. 그녀는 신성을 모독하고 낯 뜨거울 정도로 경건치 못한 말을 하다가 입으로 거품을 내뿜으면서 육체적 정신적으로 지쳐 쓰러진다고 설명했다.

"하지만 아버지께서 지금 집에 안 계신데요"라고 소년은 대답했다. 흥분했던 그 사람은 한참 후에야 이해하는 것 같았다. 그러나 갑자기 무릎을 꿇고 두 손을 벌려 필사적으로 부르짖었다.

"당신도 예수쟁이가 아닙니까? 당신이 가 주지 않겠습니까?"

생각해 보라, 12세의 소년을! 그러나 어린 아이일지라도 구세주에게 완전히 굴복하고 있다면 주님께 쓰임받는 데는 아무런 두려움이 없는 것이다. 놀람과 망설임의 순간도 잠깐이었다. 소년은 자신을 주님의 처분에 내어 맡겨 버렸다. 마치 옛날 어린 사무엘처럼 그는 범사에 하나님을 순종하려 했던 것이다. 그는 그 간곡한 청탁을 하나님의 부르심으로 여기고 승락했다. 그 이교도는 말 안장 위로 뛰어올라 그리스도인 소년을 자기 뒤에 끌어 올리고는 쏜살같이 달려갔다.

마나시는 갖가지 일들을 생각하기 시작했다. 그는 그리스도 예수의 이름으로 마귀를 쫓아 달라는 초대를 이미 수락했다. 그러나 그는 이 같은 일로 하나님에게 쓰임을 받기에 합당하였을까? 그의 마음이 순결하고 그의 믿음이 강했을까? 말을 타고 가는 도중에 소년은 죄를 자백하고 회개할 것이 없는지 자신의 마음을 신중히 살폈다.

그 다음 무슨 말을 하며 어떻게 해야 할지 그리고 성경에서 귀신들린 자들과 그것을 다룬 방법을 기억하게 해 달라고 기도했다. 그리고 그는 순수하고 겸손하게 능력과 자비의 하나님께 자신을 내어 맡기고 주 예수님의 영광을 위해 하나님께 도움을 간구했다.

그들이 현장에 도착했을 때 가족 중에 몇 사람이 완력으로 발악하는 여자를 침대에 묶는 것을 보았다. 현지 목사를 청하러 심부름꾼이 갔다는 말을 듣지 않았는데도 그녀는 바깥 마당에서 들리는 발자국 소리를 듣자마자 소리쳤다.

"너희들은 모두 비켜라. 내가 도망가야 한다. 나는 피해야 한다. 예수쟁이가 오고 있다. 난 그를 이길 수 없다. 그의 이름은 마나시다."

마나시는 방에 들어가서 의례적인 인사를 드린 후에 무릎을 꿇고 기도하기 시작했다. 그리고는 주 예수님을 찬양하는 찬송가를 불렀다. 그리고는 부활하신 주님, 영광과 전능의 주님의 이름으로 마귀에게 나오라고 명령했다. 즉시로 그 부인은 지쳐 엎드러지면서 조용해졌다. 그날부터 그녀는 완전히 회복되었다. 사람들이 그녀에게 그리스도인 소년의 이름을 말하더라고 알려 주었을 때 그녀는 깜짝 놀랐다. 왜냐하면 그녀는 한번도 그 소년의 이름을 듣거나 읽어 본 적이 없었고 그 마을 전체는 이교도의 마을이었기 때문이었다.

그러나 그날은 실로 그 사람들의 "생일"이 되었다. 그날부터 주님의 말씀이 역사하고 영광을 얻었기 때문이다.

친애하는 독자들이여, 이 짧막한 이야기가 여러분에게 어떤 감명을 줄지 모르겠지만 내게 있어서는 내 존재의 깊은 데까지 감동시킨 것이다. 나의 생각에는 우리들 대부분이 하나님의 능력—그의 압도적이고도 불가항력적인 사랑—에 대하여 너무 모르고 있는 것같이 보인다. 오, 놀라운 그의 사랑! 이제는 기도할 때마다 그 사랑이 우리를 감싸 주기를 구하자.

우리가 진실로 구세주를 사랑한다면 좀더 자주 그와 함께 기도로 교제를 가져야 하지 않겠는가? 그리스도인 형제들이여, 우리가 비판을 많이 하는 것은 기도가 적어서가 아니겠는가? 사랑하는 구세주께서 그러했듯이 우리는 이 세상을 정죄하고 판단하라고 세상에 보냄을 받지 않았으며 다만 구세주를 통해 세상이 구원받게 하려 하심(요 3 : 17)을 기억하자.

분별없는 비판의 말이 사람을 그리스도에게로 인도할 만큼 감동을 줄 수 있겠는가? 또한 그런 흠잡는 말을 하는 사람이 그 말을 통해 더욱 그리스도를 닮게 되겠는가?

비판, 비난, 흠잡기, 남의 일에 대한 무시 등의 자세를 이제 버리자. 사도 바울이 우리 모두에게 "너희 중에 이와 같은 자들이 있더니 주 예수 그리스도의 이름과 우리 하나님의 성령 안에서 씻음과 거룩함과 의롭다 하심을 얻었느니라"(고전 6 : 11)고 말하지 않겠는가?

여러분은 지금 우리가 무슨 뜻으로 이런 말을 하는지 알고 있는가? 타인의 잘못과 실수를 찾아 들추는 것은 마귀의 탓이다. 우리가 그토록 성급하게 정죄하고 과장하도록 마음속에서 말과 행동을 조종하는 것은 마귀이다. 대단히 친절하고 사랑하는 가까운 우리 친구들과 친지들도 가끔 어떤 죄의 굴레에 속박되어 헤어나지 못하고 있다.

보라, 수년간 사탄에 얽매인 그들을!

우리는 그들에게 헛되이 훈계하고 있는지도 모른다. 우리의 경고가 헛될 수도 있다. 호의와 동정—그리고 우리 자신의 실패와 결점—은 마나시처럼 그들을 향해 서서 악령을 추방하는 일을 막고 있다. 그러나 기도를 하고 있는가? 성내지 않는 사랑으로 뒷받침받는 기도를 하고 있는가?

정결한 마음과 거룩한 생활과 순수한 믿음이 있다면 하나님께서는 노소를 막론하고 모든 기도를 응답해 주신다. 하나님께서는 기도를 응답하신다. 우리는 아무래도 약하고 불완전할 뿐이다. 우리가 진실할 수도 있지만 잘못 구할 때도 있는 것이다. 그러나 하나님께서는 약속하신 일에 신실하셔서 우리가 해를 당치 않도록 지키시고 필요한 모든 것을 공급해 주실 것이다.

> 내가 기도한 것을 받을 수 있을까?
> 하나님은 모든 것을 다 아시며
> 자녀들보다 지혜로우시니
> 내가 의지할 수 있도다.

"사랑하는 자들아 만일 우리 마음이 우리를 책망할 것이 없으면 하나님 앞에서 담대함을 얻고 무엇이든지 구하는 바를 그에게 받나니 이는 우리가 그의 계명들을 지키고 그 앞에서 기뻐하시는 것을 행함이라"(요일 3 : 21-22).

제 10 장

어떻게 기도를 응답하시는가?

하나님과, 하나님이 우리를 대하시는 방법을 완전히 아는 것은 한마디로 불가능하다.

"깊도다 하나님의 지혜와 지식의 부요함이여, 그의 판단은 측량치 못할 것이며 그의 길은 찾지 못할 것이로다"(롬 11 : 33).

사실이다. 그러나 괜한 고생을 할 필요가 없다. 만일 하나님께서 전지전능하시다면 이따금씩 당황스러울 때가 있겠지만 기도에 문제가 있을 수 없다. 우리는 하나님의 방법을 알 수가 없다. 그러나 기도에 응답하시는 방법은 어느 정도 알 수 있다.

그러나 가장 먼저 우리가 평범한 사실들에 대해서 얼마나 무지한가를 생각해야 할 것이다. 대단히 심원한 지식을 가진 에디슨(Edison)은 1921년 8월에 이런 글을 발표했다.

"우리는 어떤 것에 대한 1퍼센트의 100만 분의 1도 알지 못한다. 우리는 물이 무엇인지 알지 못한다. 우리는 빛이 무엇인지 알지 못한다. 우리는 중력이 무엇인지 알지 못한다. 우리는 무엇이 우리가 설 수 있도록 발을 지탱하고 있는지 알지 못한다. 우리는 전기가 무엇인지 알지 못한다. 우리는 열이 무엇인지 알지 못한다. 우리는 자기(磁氣)가 무엇인지 전혀 모른다. 우리는 수많은 가설들만 세우고 있다. 그러나 가설 그것뿐이다."

그러나 우리는 이렇게 무지하다고 하여 이것들을 활용하지 못하지는 않는다. 우리는 기도에 대해 모르는 면이 너무 많다. 그렇다고 해서 기도를 하지 못할 필요는 없다. 주님께서 기도에 대해 가르쳐 주신 것을 우리는 알고 있다. 그리고 우리에게 모든 것을 가르쳐 주실 성령을 보내 주셨음도 알고 있다(요 14 : 26). 그러면 기도에 대한 하나님의 응답은 어떻게 이루어지는가?

하나님은 기도하는 사람들에게 마음을 계시해 주신다. 그의 성령께서 기도하는 사람들의 마음속에 새로운 생각을 부어 주신다. 마귀와 그의 사자들이 우리 마음속에 악한 생각을 침투시키기에 동분서주하고 있음을 우리는 너무나 잘 알고 있다.

그런데도 하나님과 그의 천사들이 우리에게 선한 생각을 주실 수 있을까? 가난한 자, 연약한 자, 범죄한 자, 누구나 다 다른 사람들의 마음에 좋은 생각을 줄 수가 있다. 이것이 이 글을 쓰는 이유이다. 이 백지 위에 찍힌 몇 안 되는 검은 활자들이 인간을 고쳐시키고 감화를 주거나, 저하시키고 낙심시키는 일, 또는 죄를 깨닫게 해줄 수 있다는 것은 놀라운 일이 아닐 수 없다. 그러나 불학 무식한 야만인에게는 엄청난 기적일 수밖에 없다. 더욱이 당신이나 나는 가끔 사람의 얼굴 표정이나 눈에서 그 사람의 생각을 읽을 수가 있다. 인간과 인간간의 생각 전이까지도 오늘날에는 평범한 일이다. 하나님은 그의 생각을 다양한 방법으로 전달하실 수 있다.

이에 대한 유명한 예는 노드필드에 온 한 연사를 통해 알려졌다. 그는 노령의 포경선 선장을 만나 다음과 같은 이야기를 들었다.

"꽤 오랜 세월이 흘렀군요. 고래잡이를 위해 케이프혼을 떠나 무인지경에서 항해중이었습니다. 어느 날 남쪽에서 강풍이 정면으로 불어오고 있었습니다. 계속 이 방향으로 돛을 세웠지만 오전 내내 거의 전진하지를 못했습니다. 11시경 제가 타륜 곁에 서 있을 때 갑자기 생각이 떠올랐습니다. '왜 이 파도에 배를 난타시키느냐? 아마 북쪽으로 가도 남쪽에서만큼 많은 고래가 있을 것이다. 바람을 거스르지 말고 바람을 따라가 보자.' 이런 갑작스런 생각 끝에 뱃길을 돌려 남으로 가지 않고 북으로 항해하기 시작했습니다. 1시간 뒤 정오에 뱃머리에서 감시원이 '전방에 보트들이 보인다'고 소리치더군요. 즉시 4척의 구명정을 포착했는데 거기에는 10일 전에 배의 화재로 인해 파선하여 겨우 생존한 승무원 14명이 있었습니다. 그들은 구명정을 타고 계속 표류하면서 필사적으로 하나님께 구조를 간구하고 있었습니다. 우리가 도착했을 때는 그들을 구조하기에 가장 아슬아슬한 시간이었습니다. 하루만 더 늦었어도 그들은 생존하지 못했을 것입니다."

늙은 고래잡이 선장은 덧붙여 말했다.

"당신이 종교를 가지셨는지는 모르겠습니다만 실은 저는 그리스도인입니다. 저는 매일 하나님께서 저를 다른 사람을 돕는 일에 써 주실 것을 기도하면서 일과를 시작해 왔습니다. 그리고 그날 나의 뱃길을 돌리도록 하나님께서 내 마음속에 생각을 넣어 주셨다고 확신합니다. 그 생각이 14명의 생명을 구했던 것입니다."

하나님은 우리에게 하실 말씀이 많다. 그는 우리 마음에 주실 생각도 많다. 그러나 우리는 하나님의 일을 하는 데 너무 바쁜 나머지 하나님의 말씀을 듣지 않는다. 기도는 하나님께서 우리에게 말씀하시고 우리에게 그의 뜻을 계시할 기회를 제공해 준다. 우리들은 가끔 "주여 말씀하옵소서, 주의 종이 듣겠나이다"라는 태도가 되어야 할 것이다.

하나님께서는 우리가 위하여 기도하는 사람의 마음속에 새로운 생각을 넣어 주심으로써 기도에 응답하신다. 나는 예배 중 승리의 생활에 대해서 계속 설교해 오다가, 어느 날 오후 회중에게 진정으로 거룩한 생활을 원한다면 서로 다투는 것을 화해하라고 촉구했다.

어느 부인은 즉시 집에 가서 간절히 기도한 후에 뜻이 맞지 않아 20년간 아주 관계를 끊었던 자기 여동생에게 편지를 썼다. 여동생은 30마일 밖에 살고 있었는데, 다음날 아침에 용서를 구하고 화해를 요청하는 편지가 그 여동생으로부터 왔다. 두 사람의 편지가 오고 간 것이었다. 한 자매가 다른 자매를 위해 하나님께 기도하고 있는 동안 하나님께서 그 다른 자매에게 화

해를 요청할 마음을 불어넣으심으로써 말씀하셨던 것이다.

당신은 왜 하나님께서 그런 마음을 미리 주시지 않았을까 할 것이다. 하나님께서는 그 여동생도 용서해 줄 마음을 갖기까지는 그녀에게 용서해 달라는 편지를 써 보내도 소용이 없는 것을 미리 아셨기 때문이라고 봐야 할 것이다. 사실은 우리가 다른 사람을 위해 기도할 때 하나님께서 어떤 방법으로든지 그들을 위해 영향력을 행사하실 길이 열린다. 하나님께서는 우리의 기도를 필요로 하신다. 그렇지 않으면 기도를 요구하지 않으셨을 것이다.

얼마 전에 주간 기도회를 마치자 한 경건한 부인이 거기에 남은 사람들에게 자기 남편을 위해 기도해 달라고 요청하였다. 그녀의 남편은 예배드리는 장소는 결코 가까이 가려 하지도 않는 사람이었다. 기도회 인도자는 그 자리에서 계속 기도할 것을 제의하였다. 가장 간절한 기도가 드려졌다.

그런데 그 남편은 아내에게 헌신적이었고 종종 그녀를 만나러 왔다. 그날 밤도 찾아왔는데 마침 기도회가 진행되는 중이었다. 하나님께서 그 사람의 마음속에서 이전에 한번도 행해보지 못했던 일, 즉 문을 열고 들어와 안에서 기다리고 싶은 마음을 주셨다. 그는 출입문 가까이 있는 의자에 앉아 손으로 턱을 괴고 있다가 얼핏 간구하는 소리를 들었다.

집으로 돌아가는 도중에 "여보, 오늘 밤에는 누구를 위해 그렇게 기도하였소?" 하고 남편이 물었다. 부인은 대답하기를 "예, 그는 우리 제직 중 한 사람의 남편이었어요"라고 했다.

"그래, 그는 꼭 구원을 받으리라고 나는 장담하오. 하나님은 그와 같은 기도를 반드시 응답해 주셔야지." 남편의 말이었다.

잠시 후 저녁에 그 남편은 다시 물었다. "그들이 기도한 사람은 누구였소?"

부인은 아까와 같은 말로 대답해 넘겼다. 그날 저녁 그는 쉬고자 하여 혼자 있으면서도 잠을 이룰 수가 없었다. 그는 깊은 죄의식에 사로잡혔다. 잠자는 아내를 깨워서 자기를 위해 기도해 주기를 요청하였다.

우리가 기도할 때 하나님께서 역사하실 수 있다는 사실을 얼마나 명백히 보여 주는가? 하나님은 그 사람이 어느 때든지 기도회에 들어가도록 고무하실 수 있었다. 그러나 그가 그 기도회에 들어간다 해서 어떤 좋은 일이 일어날지는 의문이다. 그들이 그를 위해 간절하게 전심을 기울여 기도를 드렸을 때 하나님은 그들의 기도가 그 가엾은 사람을 충분히 움직일 수 있을 것으로 보셨다.

하나님께서 우리들의 사역을 도우시고 우리들의 결심을 굳게 해주시는 것은 우리가 기도할 때이다. 왜냐하면 우리는 우리 자신의 기도의 다수에 응답할 수 있기 때문이다.

어느 몹시 추운 겨울, 한 부유한 농부가 굶주린 이웃을 보호해 주실 것을 하나님께 기도하고 있었다. 가정 기도가 끝났을 때 꼬마 아이가 "아버지, 이 일에 대해 우리가 하나님을 괴롭힐 필요가 없다고 생각해요"라고 말했다.

아버지는 "왜 그렇지?" 하고 물었다. "그 이유는 그 사람이 굶주리지 않도록 아버지께서 충분히 해결해 줄 수 있기 때문이에요"라고 대답했다.

만일 우리가 타인을 위하여 기도한다면 또한 그와 같이 그들을 도와주려고 노력해야 한다는 사실에는 털끝만한 의심의 여지도 없다.

어린 회심자가 자기 교회 목사님께 봉사할 기회를 요청했다.

"네 친구가 있느냐?"

"예" 하고 소년은 대답했다.

"그 애도 그리스도인이냐?"

"아닙니다. 그 애도 과거의 나처럼 천방지축입니다."

"그러면 가서 그에게 그리스도를 구주로 영접하라고 요청해 보아라."

"아, 안 됩니다. 그건 죽어도 할 수가 없어요. 그것만 제외하고 무슨 일이든 맡겨 주십시오" 하고 그 어린 아이가 말했다.

"그럼, 나에게 두 가지만 약속해라. 그 친구에게 그의 영혼에 대하여 말하지 않겠다는 것과 그의 회심을 위해 매일 두 번씩 하나님께 기도하겠다는 것을 말이야" 하고 목사님이 제안하였다.

그때 소년은 "예, 기꺼이 그렇게 하겠습니다"라고 대답했다.

두 주일이 되기도 전에 그는 헐레벌떡 목사님 댁에 달려와서 "제 약속을 취소시켜 주십시오. 제가 친구에게 말하지 않고는 견딜 수가 없습니다"라고 소리쳤다. 그가 기도를 시작했을 때 하나님께서는 그에게 증거할 능력을 주실 수 있으셨던 것이다.

우리 친구들과 진정한 친교를 하려면 반드시 하나님과의 교제가 있어야 한다. 사람들은 타인을 위해 거의 기도하지 않기 때문에 그들 영혼의 상태에 대해서도 거의 말하지 못하고 있다고 나는 믿는다.

내가 13세의 어린 아이 때, 어느 날까지 해외 선교 후원자를 20명 확보하게 해 달라는 간구를 드린 결과 기도에 대한 믿음이 확고하게 되었던 것을 잊을 수 없다. 그날 밤이 다 가기 전에 정확하게 20명이 확보되었던 것이다. 하나님께서 그 기도를 들어주실 것이라는 의식은 곧 적극적인 노력의 동기가 되고 또한 다른 일을 시작하는 데 비할 데 없는 용기를 제공해 주는 것이다.

영국의 모 목사님이 그곳 신자들에게 매일 남녀 중에 가장 악한 한 사람을 위해 기도하고 찾아가서 예수님에 대해 말씀을 전하자고 제의를 했다. 단 여섯 사람만이 그렇게 하겠다고 동의했다.

집에 도착하자마자 그 목사님은 기도했다. 그리고는 "이것을 교인들에게 맡길 수는 없다. 나 자신이 실천하지 않으면 안 된다. 나는 누가 악한 사람인지 모르니까 나가서 물어 보는 수밖에 없다"고 말하면서 밖으로 나갔다.

어느 거리 구석진 곳에서 한 험상궂은 사람을 보고 다가가서 "당신이 이 지역에서 가장 악한 사람입니까?" 하고 물었다.

"아니오, 그렇지 않습니다."

"누가 가장 나쁜 사람인지 제게 좀 일러 주시겠습니까?"

"예, 그러죠. 저쪽 아래편 거리 7번지에서 만나실 수 있을 것입니다."

그 목사님은 7번지를 찾아 문을 두드려 안으로 들어섰다. "저는 우리 교구에서 가장 나쁜 사람을 찾고 있습니다. 사람들은 당신이 그 사람일거라고 말하던데요."

"누가 그런 소릴 하더란 말이오? 그 사람 이리 데리고 오시오. 내가 그 사람에게 누가 가장 나쁜 사람인가를 보여 줄테니까요. 아니, 나보다 더 나쁜 사람이 많이 있습니다."

"그럼, 누가 가장 나쁜 사람인지 아십니까?"

"모든 사람이 그를 알고 있죠. 그는 저 건물 끝에 살고 있습니다. 가장 나쁜 사람은 그 사람입니다."

목사님은 그 건물로 가서 대문을 두드렸다. "들어오시오"라는 소리가 났다. 거기에는 그 사람과 부인이 함께 있었다.

"실례하겠습니다. 저는 이 구역 목사올시다. 제가 꼭 말씀드릴 일이 있어서 이 구역에서 가장 나쁜 사람을 찾고 있습니다. 당신이 가장 나쁜 사람입니까?"

그 남자가 부인에게로 돌아서면서 "여보, 5분 전에 내가 당신에게 한 말을 이 분에게 말씀드려요."

"아니, 당신이 직접 말씀드려요."

"무슨 말씀인데요?" 하고 목사님이 물어 보았다.

"나는 12주 동안 술을 마셔 왔습니다. 알콜 중독에 의한 섬망증(譫妄症)에 걸려 집안에 있는 전당잡힐 만한 물건은 모두 전당포에 맡겨 버렸습니다. 그리고 5분 전에 아내에게 '여보, 이런 병이 좀 떠났으면 좋겠소. 만일 계속된다면 내 생을 끝내겠소. 물에 빠져 죽어버리겠소' 하고 말했던 겁니다. 그때 당신이 문을 두드리더군요. 제가 바로 가장 나쁜 그 사람입니다. 제게 무슨 말씀이라도 하실 것이 있습니까?"

"예, 제가 당신에게 예수 그리스도가 가장 위대한 구주시요, 그 분이 가장 악한 사람을 가장 선한 사람으로 변화시키시는 분임을 말씀드리려고 왔습니다. 그 분이 나를 위해서도 그렇게 하셨으니 당신을 위해서도 그렇게 하실 것입니다."

"그 분이 나 같은 자를 위해서도 그렇게 하실 수 있다고 생각하십니까?"

"네, 할 수 있다고 확신합니다. 무릎을 꿇고 예수님께 간구하십시오."

그 불쌍한 술 주정뱅이는 죄에서 구원을 받았을 뿐만 아니라 빛나는 그리스도인이 되어 다른 술 주정뱅이들을 주 예수 그리스도에게로 인도하고 있다.

하나님께서 기도에 응답하셔서 병든 몸을 고치시며 비나 쾌청한 날씨를 주시고 안개를 걷으시고 번민과 고뇌를 제거하실 수 있는 분임을 믿는 것은 누구에게나 어려운 일이 아니다.

우리가 상대하는 하나님은 지혜가 무한하시다. 하나님은 의사의 마음속에 특정 의약이나 치료 방법을 넣어주실 수도 있다. 모든 의사들의 기술은 하나님에게서 비롯되었다. 하나님은 인간의 골격 구조를 다 알고 계신다. 그가 창조하셨기 때문이다. 그는 가장 현명한 의사보다 훨씬 더 깊이 알고 계신다. 그가 만드셨으므로 고치실 수 있는 것이다.

우리는 하나님께서 모든 의학적 기술도 사용하시기 원한다는 것을 믿는다. 동시에 하나님께서는 그의 놀라운 지혜로써 고치실 수 있고 때로는 인간의 도움 없이도 치료하실 수 있다는 사실도 믿는다. 우리는 하나님께서 그의 원하시는 방법으로 역사하시도록 해 드리지 않으면 안 된다. 흔히 우리는 우리가 원하는 방법으로 하나님을 얽어 매려 하고 있다.

하나님의 목적은 우리의 기도에 응답하심으로써 그의 영광이 드러나게 하려 하시는 것이다. 때로는 하나님께서 우리의 욕구가 정당함을 알고 계신다. 그러나 우리의 간구가 잘못되어 있다. 사도 바울은 자기 육체의 가시가 제거되기만 하면 하나님께 더 영광을 돌릴 수 있을 것이라고 생각했다. 그러나 하나님께서는 그 가시가 있는 것이 그 사람에게 그리고 사역에 더 나을 것을 아셨다. 그래서 하나님께서는 그의 기도에 대해 안 된다, 안 된

다, 안 된다라고 말씀하시면서 그 이유를 설명하신 것이다.

　모니카에게도 그와 같은 일이 있었다. 그녀는 방탕한 아들 어거스틴의 회심을 위해 수년간 기도했다. 어거스틴이 가출하여 로마로 출국하려는 결심을 하였을 때 모친은 그를 자기 곁에, 자기 품 안에 있게 해 달라고 간절하게 미친 듯이 하나님께 기도했다. 그녀는 밤을 새워 기도하기 위해 배가 닻을 내리고 있는 해변의 어느 조그만 예배당으로 내려갔다. 그러나 아침이 밝아 오자 그녀가 기도하고 있는 시간에 그 배가 출항해 버렸음을 알게 되었다. 그녀의 간구는 거절되었다.

　그러나 그녀의 진정한 소원은 성취되었다. 어거스틴이 로마에서 자기를 그리스도에게로 인도해 줄 성 암브로스를 만난 것이었다. 하나님께서 최선이 무엇인지를 알고 계신다는 사실을 알 때 얼마나 위로가 되겠는가?

　그러나 하나님께서 우리들의 기도에 따라서 어떤 일을 해야 한다는 사실을 불합리하다고 착각해서는 안 된다. 어떤 사람들은 하나님께서 우리를 진정으로 사랑하신다면 우리가 기도하든지 안 하든지 가장 좋은 것으로 우리에게 주실 것이 아니겠느냐고 말한다.

　포스딕(Fosdick) 박사가 그 점에 대해서, 하나님께서는 인간 스스로가 할 일을 많이 남겨 놓으셨다고 멋있게 지적했다. 하나님께서는 파종기와 추수기를 약속하셨다. 그러나 사람은 하나님이 동참하시도록 흙을 준비하고 갈고 씨를 뿌리며 거두어야 하는 것이다. 하나님께서는 먹고 마실 것을 주신다. 그러나 먹고 마시는 일은 우리의 일이다.

　하나님께는 우리들의 도움이 없이 하실 수 없는, 적어도 하시지 않는 일이 있다. 하나님께서는 우리가 생각하지 않는 한 무엇을 하시지 않는다. 하나님께서는 그의 진리를 무지막지하게 하늘에 펼쳐 놓으시지 않는다.

자연의 법칙들은 항상 존재한다. 그러나 그것들을 우리를 위해 그리고 하나님의 영광을 위해 이용하자면 그것들을 생각하고 실험하고 또 생각해야 한다.

우리가 일하지 않으면 하나님께서 하실 수 없는 일이 있다. 하나님께서는 저 언덕을 대리석으로 가득 채워 놓으셨다. 그러나 하나님 자신이 성전을 건축하시지 않는다. 그는 철광으로 산들을 채워 놓으신다. 그러나 그는 바늘이나 자동차를 만드시지 않는다. 하나님께서는 그것들을 우리에게 맡기셨다. 우리가 일을 해야 한다.

그런데 하나님께서 수많은 일들을 사람의 생각과 노력에 맡겨 주셨다면, 왜 기도에 의존하도록 맡겨 주시지 않겠는가? 하나님께서는 그렇게 해 놓으셨다. "구하라 그러면 받을 것이요." 어떤 것은 구하지 않으면 주시지 않으신다. 기도는 사람이 하나님과 협력할 수 있는 세 가지 방법 중 하나이며, 그 중에 제일 중요한 것이다.

능력의 사람은 예외없이 기도의 사람이다. 하나님께서는 기도하는 사람 위에만 성령을 충만히 주신다. 그리고 기도의 응답은 성령의 활동을 통하여 임한다. 모든 믿는 사람 안에는 그리스도의 영이 내주하고 있다.

"누구든지 그리스도의 영이 없으면 그리스도의 사람이 아니라"(롬 8 : 9).

그러나 능력 있는 기도의 사람은 하나님의 성령으로 충만해야 한다.

최근 어느 여자 선교사가 편지로, 기도의 사람 하이드는 불신자를 만나 얘기하기만 하면 꼭 회개하고 돌아온다는 이야기를 종종 들었다고 전해 주었다. 그러나 하이드는 그런 일에 실패하면 자기 방으로 돌아가 하나님께 쓰임받는 일에 대해 자신의 무엇이 방해물이 되어 있는가를 보여 달라고 기도로 매어 달린다는 것이었다.

그렇다. 우리가 하나님의 성령으로 충만해 있으면 다른 사람들을 하나님 쪽으로 향하게 하는 일은 전혀 문제가 되지 않는다. 그러므로 사람에게 능력을 보이려면 먼저 하나님에게서 오는 능력을 갖추지 않으면 안 된다.

당신과 나에게 있어서 중요한 문제는 "하나님께서 어떻게 기도에 응답하시는가?"가 아니라, "내가 진실로 기도하느냐?"이다. 하나님께서 얼마나 큰 능력을 우리에게 맡겨 두셨는가! 하나님을 불쾌하시게 하는 것을 우리가 붙잡고 있을 만한 가치가 있다고 생각해 본 적이 있는가?

그리스도인 친구들이여, 전폭적으로 그리스도를 신뢰하라. 그리하면 그가 전적으로 참되시다는 것을 발견할 수 있을 것이다.

제 11 장

기도를 막는 것들

우리가 가끔 읊는 시 중에 이런 것이 있다.

은혜의 보좌로 나아갈 때에
거치는 장애물이 얼마나 많은지.

그렇다. 장애물이 너무 많다. 그러나 그 장애물의 대부분은 우리들 자신이 만드는 것이다.

하나님께서는 기도하기를 원하신다. 마귀는 기도하는 것을 싫어하여 할 수 있는 모든 짓을 한다. 마귀는 우리들이 노력을 통해서보다 기도를 통해 더 많은 것을 성취할 수 있음을 안다. 그래서 그는 기도 이외의 것을 통해 일하도록 만드는 것이다.

이미 기도를 막는 사탄에 대해 언급한 바가 있다.

여전히 큰 힘으로 우리의 진군을 막는

은밀한 불구대천의 원수들,
보이지 않는 무수한 악의 사자들.

그러나 우리의 눈이 주님만을 바라본다면, 그들을 두려워할 필요가 없다. 또 주목할 필요도 없다. 거룩한 천사가 타락한 천사보다 강하다. 그러므로 우리는 천군 천사들에게 호위를 맡길 수 있다.

우리의 기도를 망쳐 놓는 혼란스런 생각들이 그들 악의 사자들에게서 온다는 것을 알 수 있을 것이다. 기도하려고 무릎 꿇기가 무섭게 해야 할 일, 곧 살펴보아야 할 것 등이 생각난다. 이런 생각들은 두말 할 나위도 없이 악령들의 자극을 받아 나온 것임에 틀림없다. 이 혼란스런 생각들을 해결하는 유일한 방법은 우리의 마음을 하나님께 고정시키는 것이다. 사람에게 있어서 최악의 원수는 자신임에 틀림없다.

기도는 하나님의 자녀를 위한 것이며 하나님의 자녀로 사는 자는 반드시 기도해야 한다.

최상의 문제는 "내 속에 어떤 원수를 숨기고 있는가? 내 속에 어떤 배반자가 있는가?" 하는 것이다. 우리가 신뢰와 순종과 봉사의 조건을 채우지 않으면 하나님은 그의 최선의 영적 축복을 주실 수 없다.

우리는 가끔 하나님의 요구 조건을 충족시키고 있는지 전혀 생각해 보지도 않고, 하나님의 가장 훌륭한 영적 축복을 간절히 구하고 있지는 않은가? 우리는 받기에 합당하지도 않으면서 축복만을 기도하지는 않는가? 하나님의 존전에서 자신에게 정직할 수 있겠는가? 감히 하나님 앞에 "오 하나님, 나를 살펴 소서……보소서" 할 수 있겠는가? 나를 위하여 또한 나를 통해서 주실 하나님의 축복을 가로막는 것은 없는가 ?

우리는 기도의 문제를 논의하고 있다. 그러나 토론이나 분석 검토가 필요한 문제는 바로 우리 자신이다. 기도는 이상 없다. 절대적으로 그리스도께 붙어 있는 심령에게는 기도에 문제가 있을 수 없다.

이제 기도가 어떻게 좌절되는가를 보여 주는 일반 성경 본문을 인용하지 않고, 다만 각자 자신의 마음을 살펴보아야 한다는 것을 강조하고자 한다. 아무리 작은 죄라도 죄는 기도를 저해하는 것이며 그것이 기도 자체를 죄악으로 몰고 가는 것이다.

서부 아프리카의 모슬렘 교도들에게 이런 말이 있다. "만일 순결함이 없으면 기도가 없고, 기도가 없으면 하늘의 물을 마실 수도 없다."

성경에서 이 진리가 너무나 명백하게 교훈되어 있음에도 불구하고 누구나 죄와 기도를 마음속에 나란히 잔존시키려 하는 것을 볼 때 놀라지 않을 수가 없다. 이런 사람들이 아직도 많이 있다.

옛날 다윗도 부르짖기를 "내가 내 마음에 죄악을 품으면 주께서 듣지 아니하시리라"(시 66 : 18)고 했다.

이사야는 "오직 너희 죄악이 너희와 너희 하나님 사이를 내었고 너희 죄가 그 얼굴을 가리워서 너희를 듣지 않으시게 함이니"(사 59 : 2)라고 했다.

실로 기도를 방해하는 것은 그리스도가 듣지 않음이 아니라, 우리 안에 있는 죄라는 데 긍정하지 않을 수 없다. 대체로 기도 생활을 망쳐 놓거나 실패하게 만드는 것은 조그마한 죄이다.

기도를 막는 것으로 다음과 같은 것들을 들 수 있다.

1. 의심

불신은 기도에 대한 가장 큰 장애물임에 틀림없다. 우리 주님께서는 보혜사가 와서 "죄에 대하여……세상을 책망하시리라 죄에 대하여라 함은 저희가 나를 믿지 아니함이요"(요 16 : 8-9)라고 하셨다. 우리는 이 세상에 속해 있지 않다. 그러나 실제적으로 우리 중에 이것을 불신하는 사람들이 얼마나 많은가?

사도 야고보는 신자들에게 편지하면서 "오직 믿음으로 구하고 조금도 의심하지 말라 의심하는 자는……무엇이든지 주께 얻기를 생각하지 말라"(약 1 : 6-7)고 강조했다.

어떤 이들은 구하지 않으므로 얻지 못하고, 어떤 이들은 믿지 않으므로 얻지 못한다. 우리가 간구하기 전에 충분한 시간 동안 찬양과 감사를 드리는 것이 조금이나마 석연치 않은 일이라고 생각하고 있지는 않은가? 그러나 우리 주님의 영광스러운 위엄의 빛과 그의 사랑과 은혜의 놀라운 일들을 조금이라도 접해봤다면 불신과 의심은 마치 떠오르는 태양 앞에 안개처럼 사라질 것이다.

이것이 바로 아브라함이 "믿음이 없어 하나님의 약속을 의심치 않고 믿음에 견고하여져서 하나님께 영광을 돌리며 약속하신 그것을 또한 능히 이루실 줄을 확신한"(롬 4 : 20-21) 이유가 아니겠는가? 우리가 하나님의 엄청난 사랑을 안다고 하면서 의심하는 것은 어처구니없는 일이 아니겠는가?

2. 자아

자아는 모든 죄악의 뿌리이다. 우리는 선행에까지도 얼마나 자기 의식에 사로잡히기 쉬운가? 우리는 자아가 갈구하는 것

을 좀처럼 포기하려 하지 않는다. 손에 가득 들고는 그리스도의
선물을 받을 수 없다. 주님께서 기도를 가르치시면서 마디마디
에 "우리"라는 말을 넣으신 것도 이 때문이다.

> "……우리 아버지여……오늘날 우리에게……우리가 우리
> 에게……우리 죄를……우리를 시험에……."

교만은 기도를 방해한다. 왜냐하면 기도는 자기를 낮추는 것
이기 때문이다. 하나님의 목전에 교만은 얼마나 가증한 것인
가! 모든 것을 주셔서 "풍성하게 누리게" 하시는 이는 하나
님이다. 사도 바울은 "……네게 있는 것 중에 받지 아니한 것이
무엇이뇨"(고전 4 : 7)라고 묻는다.

진실로 진실로 우리의 교만이 그와 같은 유의 가증스럽고
사악한 질투와 합작하여 우리의 기도 생활을 파멸시키지 않기를
바라고 있는가? 우리가 좋아할 것이라도 그것이 우리를 "교
만하게" 하는 것이면 하나님은 그 일을 하실 수 없다. 그래도
좋다면 우리가 얼마나 어리석은 인간들인가?

때로 우리가 고집하면 우리의 성결을 희생하면서 우리가 구
한 것을 주신다. 그러나 "여호와께서 저희의 요구한 것을 주셨
을지라도 그 영혼을 파리하게 하셨도다"(시 106 : 15)라는 말
씀이 있지 않은가? 오, 하나님! 그와 같은 처지에 들지 않게
하옵소서. 자아에서 나를 구출하옵소서.

또한 자아는 타인을 비판하는 것을 좋아한다. 이런 생각 자
체를 우리의 기억에서 완전히 소각해 버리자. 예수님을 많이
닮으면 닮을수록 타인을 적게 판단한다. 이것은 결코 오차가
없는 시금석이다. 항상 타인을 비판하는 사람은 그리스도에게서

떠난 사람이다. 여전히 그리스도의 사람일 수 있으나 사랑의 성령을 잃고 있는 것이다.

친애하는 독자들이여, 만일 비판하는 성품이 있다면 그것으로 하여금 자신만 비판하고 결코 이웃을 비판하지 못하게 하라. 그러면 당신은 그 본성에게 충분한 기회를 줄 수 있을 것이며 또 활용할 수도 있을 것이다. 이것이 귀에 거슬리는 말이겠는가? 이것이 정죄하는 바로 그 죄—정죄는 죄이기에—를 범하는 것으로 보이는가? 어떤 한 개인에게 한 말이라면 그럴 것이다. 그러나 그 목적은 아무리 보아도 뚫을 수 없을 것 같은 갑옷을 꿰뚫으려는 것이다. 한 달간만 타인의 평판을 꼬집거나 캐내는 혀를 제어해 둔다면 돌아서서 다시는 험담하지 않을 것이다. "사랑은 오래참고 사랑은 온유하며……"(고전 13:4)라고 했다. 우리가 그렇게 하고 있는가? 확실한가?

다른 사람을 우리보다 나쁘게 채색할 수 있었다 해서 우리가 더 나은 것은 아니다. 그러나 우리는 타인을 멸시하는 정보를 전달하는 일을 거부할 때, 그리고 다른 사람들의 일이나 생활에 대해 판단하는 것을 삼갈 때에, 우리들 자신의 영적 기쁨과 그리스도를 위한 우리 자신의 산 증거를 충분히 증가시킬 수가 있다. 처음에는 다소 어려울 것이나 곧 말로 형언할 수 없는 기쁨이 따라올 것이며 도처에서 사랑으로 보답될 것이다.

현대 이단들 앞에서 침묵을 지킨다는 것은 정말 어려운 일이다. "성도에게 단번에 주신 믿음의 도를 위하여 힘써 싸우라"(유 3절)는 말을 들어보지 않았는가? 때로는 말하지 않으면 안 될 때도 있다. 그러나 항상 사랑으로 해야 한다. 사랑을 죽이느니 차라리 과실을 용납하라.

타인의 결점을 찾아내는 개인 기도까지도 단호히 피해야 한다. "냉정한 형제"를 위해 기도한 존 하이드의 이야기를 다시 한번 읽어 보자. 사실 비판 정신은 다른 무엇보다 더 거룩한 생활을 파괴한다. 그것은 무엇보다 무서운 죄이며 우리를 쉽게 희생물로 만들어 버린다.

믿는 사람이 사랑이신 그리스도의 영으로 충만해 있다면 그는 친구들에게서 발견할 수 있는 비그리스도적인 행동을 결코 타인에게 말하지 않을 것이라는 말은, 더 부언할 필요가 없을 만큼 당연하다. "그는 나에 대해 가장 야비한 사람"이라든지, "그는 너무 자만심이 강하다", "나는 그 사람을 더 참아줄 수 없다"라는 따위의 말은 분명히 불친절하고 불필요한 것이며 어쩌면 진실치 못한 평가이기도 하다.

사랑하는 우리 주님 자신도 죄인들의 대항을 참으셨다. 그리고 주님은 다른 사람에 대한 이야기를 비평하거나 공개하지 않으셨다. 그런데 어찌하여 우리는 그렇게 하고 있단 말인가? 그리스도가 최고 지배자라면 자아는 단연 왕좌로부터 내려앉아야 한다. 마음속에 우상이 있어서는 안 된다. 하나님께서 일부 종교 지도자들에게 하신 말씀을 기억하고 있는가?

"인자야 이 사람들이 자기 우상을 마음에 들이며 죄악의 거치는 것을 자기 앞에 두었으니 그들이 내게 묻기를 내가 조금인들 용납하랴"(겔 14 : 3).

우리의 목적이 온전히 하나님의 영광일 때, 하나님은 우리들의 기도를 들어주신다. 그리스도의 선물보다 오히려 그리스도 자신이 우리의 소원이 되어야 한다.

"또 여호와를 기뻐하라 저가 네 마음의 소원을 이루어 주
시리로다"(시 37 : 4).
"사랑하는 자들아 만일 우리 마음이 우리를 책망할 것이
없으면 하나님 앞에서 담대함을 얻고 무엇이든지 구하는
바를 그에게 받나니 이는 우리가 그의 계명들을 지키고 그
앞에서 기뻐하시는 것을 행함이라"(요일 3 : 21-22).

사람들이 구하고도 받지 못하는 것은 정욕으로 쓰려고 잘못
구하기 때문이다(약 4 : 3). 이것은 초대 교회 때나 지금이나
마찬가지이다.

3. 사랑이 없는 마음
사랑이 없는 마음은 아마 기도의 가장 큰 장애물일 것이다.
사랑의 정신은 믿음의 기도를 위한 조건이다. 사람에게 잘못하
고 하나님께 옳을 수는 없다. 기도의 정신은 본질상 사랑의 정
신이다. 중보는 기도로 나타나는 사랑이다.

대소간 만물을 사랑하되
최선을 다해 사랑하는 자는
최선을 다해 기도하나니
우리를 사랑하는 크신 하나님께서
모든 것을 만드시고
모든 것을 사랑하심이라.

우리가 감히 하나님께서 사랑하시는 자를 미워하거나 싫어할
수 있겠는가? 만일 그렇게 한다면 진실로 그리스도의 영을

소유하고 있다고 할 수 있겠는가? 기도가 단순히 어떤 형식 이상의 것이 되려면 우리의 믿음 가운데 이 기본적인 사실들을 직면하지 않으면 안 된다. 주님께서는 오직 "너희를 핍박하는 자를 위하여 기도하라 이같이 한즉 하늘에 계신 너희 아버지의 아들이 되리니"(마 5 : 44-45)라고 말씀하시지 않았는가?

그리스도인들이라는 수많은 사람들이 이 문제를 한번도 직면해 보지 않고 있다고 생각해도 괜찮을 것이다. 얼마나 많은 그리스도인들이—이름 있는 분들도 역시—자기와 의견이 맞지 않는 다른 사람들에 대하여 비난하고 있는가? 그들은 우리 주님의 명령을 한번도 들어 보지 못한 사람들이라고 생각해야 할 것이다.

이 땅 위에서 우리의 일상 생활은 우리의 기도 능력을 가장 잘 말해 준다. 하나님께서는 나의 공기도나 개인 기도에 나타나는 기도의 정신이나 어조를 따라 대응하시는 것이 아니라, 나의 일상 생활에서 나타나는 정신을 따라 평가하신다.

성을 잘 내는 사람은 냉담한 기도를 할 뿐이다. 만일 우리가 주님의 명령을 불순종하고 서로 사랑하지 않는다면 우리 기도는 거의 무용지물이 된다. 만일 우리가 용서하지 않는 마음을 품고 기도하면 그것은 거의 시간 낭비이다.

최근 한 유명한 성직자는 우리가 도저히 용서할 수 없는 사람이 있다고 하였다. 만일 그렇다면 그는 주기도를 축소해 사용하고 있다고 믿어도 될 것이다. 그리스도는 "……우리가…… 사하여 준 것같이 우리 죄를 사하여 주옵시고……"라고 기도하라 하셨다. 또 주님은 "너희가 사람의 과실을 용서하지 아니하면 너희 아버지께서도 너희 과실을 용서하지 아니하시리라" (마 6 : 15)고 선언하셨다.

우리는 이미 그리스도의 영을 나타내고서도 우리 자신이 필요로 하는 많은 용서를 상실하지 않았는지 모른다. 원수를 용서하는, 기분을 상하게 한 친구들까지도 용서하고자 하는 최소한의 의향마저 갖지 못하면서, 주기도를 반복하는 사람이 얼마나 많이 있는가?

많은 그리스도인들은 기도에 정당한 기회를 주지 않고 있다. 그것은 의식적인 불성실 때문이 아니라 생각이 부족하기 때문이다. 그 책임은 전하고 가르치는 우리들에게 있다. 우리는 행함보다 교리를 가르치는 경향이 있다. 대다수의 사람들은 옳은 것을 행하려고 한다. 그러나 큼직큼직한 것만을 바라볼 뿐 오히려 사랑의 생활에 있어서 경미한 잘못들은 보지 못한다.

주님은 또한 우리가 "형제에게 원망 들을 만한 일이 있는 줄 생각나면" 우리가 하나님께 드리던 예물까지 중단하라고 하신다(마 5:23). 만일 우리의 예물을 받지 않으신다면 기도인들 응답해 주시겠는가? 욥이 그의 원수(성경에서는 친구라 불렀음)들과 논쟁하기를 그쳤을 때, 여호와께서는 욥의 곤경을 돌이키시고 그 전 소유보다 갑절이나 주셨다(욥 42:10).

우리의 생활이 기도를 막는다는 사실을 발견하기에 얼마나 게으르고 나태한가? 뿐만 아니라 사랑의 생활을 하는 데 얼마나 무관심한가? 그렇다. 우리는 사람을 얻기를 원한다. 주님께서는 우리에게 한 길을 보여 주셨다. 너희는 사람의 결점을 널리 공개하지 말라 하신 것이다.

"네 형제가 죄를 범하거든 가서 너와 그 사람과만 상대하여 권고하라 만일 들으면 네가 네 형제를 얻은 것이요"(마 18:15).

우리들 대부분은 오히려 형제들을 아프게 하고 있다.

가정 생활도 기도를 막는다. 사도 베드로는 우리의 기도가 막히지 않도록 가정 생활을 어떻게 해야 할지를 잘 말해 주고 있다(벧전 3 : 1 - 10). 모든 독자들은 하나님께 자기 마음을 살피시도록 구할 것이며, 혹시 타인에게 대한 쓴 뿌리가 도사리고 있지는 않은지 하나님께서 당신에게 보여 주시기를 구해야 한다.

우리는 한결같이 하나님께서 기뻐하시는 일을 행하고자 소원한다. 만일 서로 다투고 있는 사람과 우리의 힘으로 서로 화해하고 조화를 이루기 전에는 아예 기도하지 않겠다고 결심한다면, 이것은 영적 생활에 막대한 보탬이 될 것이다. 거짓말까지도 우리의 힘으로 해결하기 전에는 하나님께 기도한다는 것이 한갓 쓸데없는 말에 불과하다. 타인에 대한 불친절한 감정도 하나님께서 원하시는 은총을 가로막는 장애물이 된다.

사랑하는 생활은 믿음의 기도를 위한 필수 조건이다. 하나님께서는 오늘 우리들이 그의 무제한의 축복을 받기에 합당한 자가 되라고 다시금 도전하신다.

우리들 중에 많은 사람들은 무자비하고 용서하지 않는 정신을 선택할 것인가 아니면 주 예수 그리스도의 온유한 자비와 사랑을 선택할 것인가를 결정해야 할 처지에 있다. 이와 같이 두 생각 사이에서 선택하는 곤경에 처하다니 놀랄 일이 아닌가? 쓴 뿌리는 그 생각을 품은 사람에게 가장 많은 해를 입힌다.

"아무에게나 혐의가 있거든 용서하라 그리하여야 하늘에 계신 너희 아버지도 너희 허물을 사하여 주시리라"(막 11 : 25)고 복되신 주님께서 말씀하셨다. 그러므로 용서하든지 기도를 중단하든지 해야 할 것이다. 만일 진정한 기도를 가로막는 사랑 없는 마음을 품고 있다면 그가 시간을 아무리 많이 가진들 무슨 소용이 있겠는가? 우리가 이 진리를 깨닫지 못하는 한 마귀가 얼마나 조소하겠는가?

우리가 천사의 방언을 하고 모든 지식을 알고 모든 믿음이 있고 또 몸을 불사르게 내어 줄지라도 사랑이 없으면 아무것도 아니라는 하나님의 말씀을 간과할 수 없다.

4. 우리가 할 일을 하지 않는 것

이것이 하나님의 응답을 가로막을 수 있다. 사랑은 동서고금을 막론하고 죄악과 고통을 바라볼 때 동정심과 봉사 정신을 불러일으킨다. 마치 바울이 우상이 가득한 도시를 보았을 때 그의 마음에 충동이 일어나 변론한 것과 같다(행 17 : 16). 우리가 드리는 예물, 우리가 드리는 기도, 우리의 봉사를 통해 하나님의 나라가 속히 임하도록 행동으로 실천하지 않는다면 "나라이 임하옵시고"라고 진지하게 기도할 수가 없다.

우리가 불신자들을 복음의 능력 아래로 이끌기 위해 그들에게 말씀을 전파하거나 편지를 쓰거나 기타 방법을 강구하지 않는 한, 그들의 회심을 위해 기도할 때 정성을 다한 잔지한 기도가 될 수 없다.

무디는 어느 전도 집회에 앞서서 하나님께 축복을 간구하는 기도회에 참석했다. 부유한 사람들도 몇 명 거기에 동석했었다. 그들 중의 한 사람이 하나님께 전도 대회 경비에 충분한 자금을 주실 것을 기도하기 시작했다. 무디는 즉시 그 기도를 중단시켰다. 그는 조용히 입을 열어 "그 점에 대해서 하나님을 괴롭힐 필요가 없습니다. 그 기도에 대한 응답은 우리 힘으로 할 수 있는 일입니다"라고 말했다.

5. 은밀하게만 기도하는 것

은밀하게만 기도하는 것도 응답을 막을 때가 있다. 가정에서 자녀들이 아버지를 뵈올 때 항상 비밀리에 만날 필요는 없다. 주님께서 합심하여 기도하라고 누누이 말씀하신 것은 특기할 만하다. 즉 합심 기도를 요구하신다. 우리가 기도할 때 "우리 아버지"라고 말하는 것이 좋다.

> "……두 사람이 땅에서 합심하여 무엇이든지 구하면 하늘에 계신 내 아버지께서 저희를 위하여 이루게 하시니라 두세 사람이 내 이름으로 모인 곳에는 나도 그들 중에 있느니라"(마 18 : 19-20).

많은 교회들이 영적 생활에 연약성을 보이는 것은 불충분한 기도회로만 유지시키고 있거나 기도를 위한 모임이 없는 데 그 원인이 있다. 우리는 살아 있고 생동력 있는 주간 기도회를 하나만이라도 할 수 없을까?

6. 찬송

찬송도 기도 못지않게 중요하다. 우리는 감사함으로 그 문에 들어가며 찬송함으로 그 궁정에 들어가서 그 이름을 송축해야 한다(시 100 : 4).

기도의 사람 하이드는 목회하는 가운데 언젠가는 하루에 네 사람씩의 영혼을 양의 우리로 불러 달라고 기도하게 되었다. 어느 날이든 이 목표량에 미달하게 되면 고통이 마음을 눌렀고

침식을 전폐하곤 했다. 그러면서 자신에게 무엇이 장애물이 되어 있는지 보여 달라고 부르짖는 것이었다. 그때마다 항상 자기 생활에 찬송이 결핍되어 있었음을 발견하였다. 그는 그의 죄를 고백하고 찬양의 정신을 얻기 위해 기도했다. 그리고 하나님께 찬양을 드렸을 때 그가 간구한 영혼들이 돌아오곤 했다는 것이다.

그렇다고 해서 우리도 하나님을 숫자나 역사 방법으로 한정시켜야 된다는 것을 암시하지는 않는다. 다만 부르짖어야 한다는 것이다 : "기뻐하라! 온 심령과 마음과 영혼으로 하나님께 찬양하라."

우리가 종종 "주 안에서 기뻐하라"는 명령을 받는 것은 우연이 아니다. 하나님께서는 자녀들이 불행하기를 원치 않으신다. 그리고 하나님의 자녀들은 아무도 불행할 이유가 없다.

가장 핍박을 많이 받은 사도 바울도 찬송의 사람이었다. 옥중에서나 옥외에서나 항상 그의 입술에서는 찬양의 노래가 흘러나왔다. 그는 밤낮으로 구세주를 찬양했다. 그의 권면의 순서는 의미가 있다.

"항상 기뻐하라 쉬지 말고 기도하라 범사에 감사하라 이는 그리스도 예수 안에서 너희를 향하신 하나님의 뜻이니라" (살전 5 : 16-18).

하나님의 뜻―이것을 명심하자. 이것은 취사 선택할 문제가 아니다.

기뻐하라, 기도하라, 감사하라.

이것이 당신과 나를 향한 하나님의 뜻에 따른 순서이다. 찬양 만큼 하나님을 기쁘시게 하는 것이 없고, 찬양으로 드리는 기도 만큼 우리를 복되게 하는 것이 없다.

"또 여호와를 기뻐하라 저가 네 마음의 소원을 이루어 주 시리로다"(시 37 : 4).

고국으로부터 비보를 받은 어느 선교사가 완전히 낙담해 버 렸다. 기도도 그의 마음의 어두움을 헤치는 데는 아무 소용이 없었다. 그는 다른 선교사를 찾아갔다. 물론 위로를 얻기 위해 서였다. 그런데 그가 찾아간 곳의 벽에 좌우명이 걸려 있었다. "감사에 힘쓰라"는 것이었다. 그는 감사하기 시작했다. 순식간 에 그림자가 사라지고 다시 나타나지 않았다.

우리는 기도 응답을 받을 만큼 충분히 찬양하고 있는가? 만일 우리가 진실로 하나님을 신뢰한다면, 우리는 항상 찬양해 야 할 것이다.

하나님은 무엇을 행하시지도 방치하시지도 않는다.
그러나 그대 스스로가 할 일을
그대가 하고 나면
하나님께서 하신 모든 결과를 보리라.

어떤 사람이 루터가 기도하는 것을 듣고는 "은혜로우신 하 나님! 그 말에 어떤 정신과 어떤 믿음이 있습니까? 그는 마치 하나님의 존전에 있는 것처럼 경건하게 하나님께 간구합니다.

그러면서도 그는 마치 아버지나 친구에게 말하듯이 확고한 소망과 확신을 가지고 간구합니다"라고 말했다. 그 사람은 기도에 장애물이 있다는 것을 전혀 의식하지 못했던 것 같다.

지금까지의 말은 결국 모든 것이 하나의 주제로 요약될 수 있음을 보여 준다. 기도에 대한 모든 장애물은 하나님께서 그의 모든 자녀들을 위해 계획하신 거룩한 생활에 대한 하나님의 거룩하신 말씀의 교훈을 모르거나 우리 자신을 하나님 앞에서 온전히 성별하지 못한 데서 야기된다.

우리가 하나님 아버지께 진실한 마음으로 "나 자신과 모든 소유는 당신의 것이니이다"라고 말할 수 있을 때, 하나님께서는 우리에게 "내 것은 모두 네 것이다"라고 말씀하실 수 있는 것이다.

제 12 장

누가 기도할 수 있는가?

2세기 전 옥스포드 대학교 학생 6명이 제적을 당한 바 있다. 이유는 단지 각자의 방으로 돌아가면서 즉흥적인 기도회를 가졌다는 것이었다. 이에 대해 조지 휘트필드(George Whitefield)는 부총장에게 서한을 보내어 "즉흥적인 기도 때문에 몇몇 학생이 제적되었다면 즉흥적인 맹세를 하는 일부 학생들도 제적시키는 것이 바람직하다"라고 말했다. 하나님께 감사하자. 오늘날 우리 나라에는 기도를 막는 사람이 없다. 누구든지 기도할 수 있다. 그러나 모든 사람이 다 기도할 권리가 있는가? 하나님은 모든 사람의 기도를 들으시는가?

누가 기도할 수 있는가? 기도는 모든 사람에게 주어진 하나의 특전, 특권인가? 영국에서는 모든 사람이 다 왕을 접견할 권리를 주장할 수 없다. 그러나 어떤 특정인이나 단체는 왕을 가까이 대면할 특권을 가지고 있다. 수상에게 이런 특권이 있고, 옛 런던시 자치 기관은 항시 왕 앞에 소원을 진정할 수 있었다.

또한 외국 대사도 동일한 특권이 있었다. 그런 사람만이 자신 있게 왕궁의 문을 통과할 수 있었으며 그와 왕 사이에는 여하한 세력도 개입할 수 없었다. 그는 즉각 왕 앞에 나아가 그의 소원을 아뢸 수 있었다. 그러나 이런 사람들 중 아무도 왕의 친자식처럼 왕을 쉽게 대면하거나 환영을 받지는 못했다.

그러나 왕 중의 왕이 계신다. 그는 우리 모두의 하나님 아버지시다. 누가 그 분에게 나아갈 수 있는가? 누가 이런 특권, 이런 권세를 누릴 수 있는가? 극한 무신론자들에게도 기도는 항상 잠재하고 있다는 말을 듣는데 이 말은 상당한 진리를 내포하고 있다. 이 경우 언제든지 기도할 권리가 있을까? 어떤 종교에서는 기도가 제한되어 있다.

힌두교의 속박 아래 살고 있는 인도에서는 브라만 계급 외에는 기도할 권리가 없다. 기타 계급에서는 백만장자라도 브라만 계급인—때로는 소년 학생일지라도—을 만나서 자기의 기도를 부탁드려야 한다.

모하메드 교인들은 몇 구절의 아라비아 말을 배우지 않으면 기도할 수 없다. 그 이유는 그들의 신은 거룩한 언어로 기도드려야만 듣기 때문이다. 하나님을 찬양하자. 우리와 우리 하나님 사이에는 계급이나 언어의 제한이 없다. 그러므로 누구든지 기도할 수 있다.

그렇다. 누구나가 기도할 수 있다. 그러나 성경은 그렇게 말하지 않는다. 하나님의 자녀들만이 진실로 하나님께 기도할 수 있다. 하나님의 아들만이 그의 존전에 나아갈 수 있다. 누구든지 하나님께 도움—용서와 자비—을 청할 수 있다는 것은 영광스러운 진리이다. 그러나 그것을 기도라고 보기엔 약하다.

기도는 그 이상의 것이다. 기도는 지존자의 은밀한 곳에 들어가 전능자의 그늘 아래 거하는 것이다(시 91 : 1). 기도는 우리의 소원과 요구들을 하나님께 알리고 믿음의 손을 뻗쳐서 하나님의 선물을 취해 오는 것이다. 기도는 성령이 우리 안에 거하시는 결과이며 하나님과의 교제이다. 그러나 왕과 반역자 간에는 교제가 있을 수 없다. 빛과 어두움이 어떻게 서로 사귈 수 있는가?(고후 6 : 14) 우리 자신에게는 기도할 권리가 없다. 다만 주 예수 그리스도를 통해서만 하나님께 나아갈 수 있다 (엡 2 : 13).

기도는 물에 빠진 사람이 부르짖는 그 이상의 것이다. 즉 죄악의 소용돌이 속에 빠져가는 사람이 "주여 나를 구원하시옵소서. 나는 잃어버린 인간이옵니다. 나는 파멸했나이다. 나를 사하시옵소서. 나를 구원하시옵소서"라고 부르짖는 것 이상의 것이다. 이런 기도는 누구든지 할 수 있다. 이런 기도는 진심으로 하기만 하면 반드시 응답받으며, 결코 응답이 지체되지 않는다. 이는 인간이 원하는데 하나님께서 그를 버려 두시지는 않기 때문이다.

그러나 이런 기도는 성경이 말하는 기도는 아니다. 사자들까지도 먹이를 쫓아가면서 으르렁거리며 하나님께 먹이를 구한다. 그러나 그것은 기도가 아니다.

우리 주님께서는 "구하는 이마다 얻을 것이요"(마 7 : 8)라고 말씀하셨다. 말씀은 누구에게 하신 것인가? 그의 제자들에게 하신 말씀이다(마 5 : 1, 2). 그렇다. 기도는 하나님과의 교제요, 어떤 이가 말한 바와 같이 영혼의 가정 생활이다. 성령이 마음속에 거하시지 않고 또 우리가 아들을 영접하지 않으며, 하나님의 자녀라 불릴 수 있는 자격을 가지지 않고서야 어떻게 하나님과 조그만 교제라도 이루어지겠는가?

기도는 자녀의 특권이다. 하나님의 자녀만이 하나님께서 사랑하는 자들을 위해 예비하신 것을 달라고 주장할 수 있다. 주님은 우리가 하나님을 "우리 아버지"라고 부르라고 말씀해 주셨다. 반드시 자녀들만이 "우리 아버지"라는 말을 사용할 수 있는 것이다.

사도 바울은 "너희가 아들인 고로 하나님이 그 아들의 영을 우리 마음 가운데 보내사 아바 아버지라 부르게 하셨느니라"(갈 4 : 6)고 말했다.

하나님께서 욥의 위안자들에 대해서 "그런즉 너희는 수송아지 일곱과 수양 일곱을 취하여 내 종 욥에게 가서 너희를 위하여 번제를 드리라 내 종 욥이 너희를 위하여 기도할 것인즉 내가 그를 기쁘게 받으리니"(욥 42 : 8)라고 말씀하신 것이 하나님의 심정이 아니겠는가? 이 말씀은 마치 그들이 기도 문제에 있어서 하나님께 받아들여지지 않은 것처럼 여겨진다. 그러나 하나님의 자녀가 되는 순간 바로 기도의 학교에 입학하게 된다.

> "주께서 가라사대 일어나 직가라 하는 거리로 가서 유다 집에서 다소 사람 사울이라 하는 자를 찾으라 저가 기도하는 중이다"(행 9 : 11).

하나님께 돌아온 자들은 누구든지 기도할 수 있고 또 기도해야만 한다. 각자는 자신을 위해서 기도하고 물론 타인을 위해서도 기도해야 한다.

그러나 우리가 하나님을 아버지라고 진실한 마음으로 부르기 전에는 "자녀"로서―아들로서, 하나님의 상속자로서, 그리고 그리스도의 후사로서—대우받기를 주장할 수 없다. 이런 일이 어렵다고 생각하는가? 너무나 당연한 일이 아닌가? 자녀에게 특권이 없겠는가?

필자의 의도를 잘 이해하기를 바란다. 하나님의 뜻은 누구를 천국 문 밖으로 밀어내는 것이 아니다. 누구든지 또한 어디서든지 "하나님이여, 이 죄인을 긍휼히 여기시옵소서"라고 부르짖을 수 있다. 그리스도의 우리 밖에 있고, 하나님의 가족이 아닌 사람은 아무리 악한 사람일지라도 또는 그가 아무리 스스로 선하다고 생각하는 사람일지라도, 이 순간 이 말을 읽고 하나님의 자녀가 될 수 있다. 누구든지 믿음으로 그리스도를 바라보면 된다.

"보라, 그리하면 살리라."

하나님은 관찰하라고까지 요구하시지 않는다. 다만 눈만 돌리라는 것이다. 얼굴을 하나님께 돌리라.

갈라디아 교인들이 어떻게 하나님의 자녀가 되었는가? 그리스도를 믿음으로 가능했다.

"너희가 다 믿음으로 말미암아 그리스도 예수 안에서 하나님의 아들이 되었으니"(갈 3 : 26).

그리스도는 누구든지 진실한 회개와 믿음으로 자기에게 돌아오는 순간 양자로 삼으시고 그의 은혜로써 하나님의 자녀가 되게 하신다. 비록 하나님의 섭리라 할지라도 그의 자녀가 되기 전에는 결코 그것을 요구할 권리가 없다. 우리가 "여호와는 나의 목자시니"라고 자신있게 말할 수 있기 전에는 "내가 부족함이 없으리로다"라는 말을 자신있게 할 수 없다.

그러나 자녀는 아버지의 관심과 사랑과 보호와 공급을 받을 권리가 있다. 자녀는 그 가정에서 태어남으로 그 가정의 일원이 된다. 우리도 "거듭남"으로써, 즉 "위로부터 남"으로써(요 3 : 3, 5) 하나님의 자녀가 된다. 이것은 주 예수 그리스도를 믿음으로 이루어진다(요 3 : 16).

이렇게 장황하게 말을 하는 것은, 기도할 수 있는 권리를 소유하지 못한 사람들, 즉 하나님의 자녀가 아닌 사람들이나 하나님의 존재를 부인하는 사람들의 기도도 하나님께서 듣고 응답하신다는 성급한 말을 하는 데 대해 경고를 하려는 것이며, 한편으로는 기도에 전적으로 실패하는 사람들에게 설명해 주려는 것이다. 불신자들이 고침받기 위해 주님께 나아왔을 때 주님은 결코 그들이 열망하는 축복을 외면하고 돌려 보내지 않으셨다. 그들은 "구걸하는 자"로 왔지 "자녀"로서 나아온 것은 아니다. 물론 자녀에게 먼저 먹이겠지만 구걸하는 이들도 부스러기를 받게 된다.

이와 같이 하나님께서는 이 세상에 필요한 자비를 구하는 불신자의 부르짖음도 가끔 들으신다. 필자가 잘 아는 사람의 경우를 실례로 들어 보자.

그는 다년간 무신론자였다. 그는 하나님을 믿지 않으면서도 음악에 취미가 있어서 교회 성가대에서 40년간 노래했다. 그의 노령의 부친이 심한 병환으로 2, 3년 전부터 앓아 눕게 되었다. 의사들이 그의 병을 고칠 수 없었다. 부친 때문에 몹시 괴로워한 나머지 이 불신 성가대원은 무릎을 꿇고 "오 하나님, 만일 하나님이 계시다면 내게 당신의 능력을 보이사 아버지의 고통을 없이 하옵소서!" 하고 부르짖었다. 하나님은 그의 부르짖음을 들으시고 즉각 그 고통을 거두어 가셨다. 그 무신론자는 하나님께 찬송하고 급히 그의 목사님을 찾아가 구원의 길을 여쭈어 보았다. 지금 그는 새로이 발견한 구주 예수님을 위해 모든 시간을 들여 일하고 있으며 그리스도를 위해 철저히 봉사하고 있다.

그렇다. 하나님께서는 약속보다 크시며 우리가 기도하는 것 이상을 기꺼이 주신다.

불신자의 입에서 나온 기도 중에 가장 충격적인 것은 아마 그리스도 우리의 모범(*Christ Our Example*)이라는 책의 저자인 캐롤라인 프라이(Caroline Fry)의 기도일 것이다. 그녀는 비록 미모와 부와 지위를 갖추고 친구들도 있었지만 그 모든 것이 그녀에게는 만족을 줄 수 없었다. 결국 자신의 비참함을 깨닫고 하나님을 찾았다. 그런데 그녀가 하나님께 올리는 첫마디가 완전히 반역적이고 증오에 찬 표현이었다. 이 말을 들어보자. 이것은 자녀가 드리는 기도가 아니다.

"오, 하나님! 만일 당신이 하나님이라면 나는 당신을 사랑하지 않겠습니다. 나는 당신 같은 이를 원치 않습니다. 나는 당신에게 있다는 행복도 믿지 않습니다. 그러나 나는 이처럼 불행합니다. 내가 구하지 아니하는 것을 주십시오. 내가 원치 않는 것을 주십시오. 만일 하실 수 있거든 나를 행복하게 하옵소서. 나는 이처럼 불행합니다. 나는 이미 이 세상에서 지쳤습니다. 만일 이보다 더 나은 무엇이 있다면 그것을 내게 주옵소서."

이것이 무슨 기도인가? 그러나 하나님은 들으시고 응답하셨다. 하나님께서는 방황하는 그녀를 용서하시고 밝은 행복 가운데 사역에 영광스러운 열매를 맺게 하셨다.

미개인의 가슴 속에도
열망과 갈급과 애절함이 있어
알지 못하는 선을 찾나니
연약한 손 외로이 들고
무작정 흑암을 더듬어
거기서 하나님의 오른손을 붙잡아
건짐받아 새 힘을 얻는구나.

이제 문제를 약간 바꾸어, 누가 기도할 권리가 있느냐고 묻는다면 오직 성령이 내주하시는 하나님의 자녀뿐이라고 해야 할 것이다. 그러나 누구든지 하나님의 자녀로서 마땅히 살아야 할 삶을 살지 않으면 하늘에 계신 아버지 앞에 담대히 나아갈 수도 없다. 어떤 아버지든지 잘못하는 자녀에게 함부로 은총을 낭비하지 않는다. 신실하고 정한 아들만이 성령으로 기도할 수 있고 또 이해하면서 기도할 수 있다(고전 14 : 15).

그러나 우리가 하나님의 자녀라도 죄가 우리 기도를 가로막는다. 그의 자녀인 우리는 언제 어디서든 하나님께 나아갈 권리가 있다. 그리고 어떠한 형태로 기도하든 잘 알아들으신다.

우리는 마치 사도 바울처럼 감사와 간구와 찬송을 물 흐르듯 쏟아 부을 수 있는 놀라운 구변의 은사를 받을 수 있다. 또한 요한과 같이 고요하고 심원하며 사랑어린 교제도 할 수 있다. 명철한 학자 요한 웨슬리(John Wesley)와 겸손한 구두 수선업자

윌리엄 캐리(William Carey) 같은 이들도 은혜의 보좌 앞에 자유자재로 드나들었다. 하나님의 나라에서는 출생이나 명민이나 업적에 따라 평가하는 것이 아니고 다만 왕의 아들에 대한 겸손하고 전적인 신뢰 여하에 따라 평가한다.

무디는 그의 기적적인 성공이 자기도 잘 모르는 나약한 한 여자의 기도 덕분이라고 말한다. 그리고 실로 영국의 연약한 성도들의 기도가 급속한 부흥을 가지고 올 수 있었다고 한다. 입이 닫힌 자여 모두 입을 열고 부르짖으라!

혹시 어떤 사람들은 기도의 은사를 받아서 기도를 많이 한다고 오해하고 있지 않은가? 한 똑똑한 케임브리지 대학교 학생이 내게 기도 생활은 극소수의 사람들만이 소유하는 은사가 아니냐고 물었다. 그리고 그는 모든 사람이 다 음악에 재능이 있는 것이 아니듯이 모든 사람이 다 기도할 수 있다고 기대할 수는 없지 않느냐고 하였다.

조지 뮬러는 기도의 은사를 받았기 때문에 기도의 사람이 된 것이 아니다. 그가 기도했기 때문에 그렇게 된 것이다. 말을 잘 못하는 사람들은 하나님께서 아론이 할 수 있지 않느냐고 하심 같이 말을 잘 하는 사람을 중재로 하여 은밀한 가운데서 열심히 노력하면 된다.

비록 하나님께서 은혜로우셔서 가끔 믿음 이상의 것을 주신다 할지라도 기도에 있어서 하나님과 더불어 위대한 능력을 발휘하자면 위대한 믿음을 소유하지 않으면 안 된다.

헨리 마틴(Henry Martyn)은 믿음과 기도가 일치하지 못했으나 기도의 사람이었다. 그는 브라만 교도가 그리스도에게로 회심하고 돌아오는 것같이 죽은 자 가운데서 사람이 살아나는 것을 보고 싶어하곤 했다. 사도 야고보는 "이런 사람은 무엇이든지 주께 얻기를 생각하지 말라"(약 1 : 7)고 하지 않을는지?
그런데 헨리 마틴은 한 사람의 브라만 교도도 그리스도를 구주
로 모시고 회심하는 것을 보지 못하고 죽었다. 그는 날이면 날
마다 남이 가지 않는 탑을 찾아가서 은밀히 기도하곤 했다. 그
러나 그는 브라만 교도가 회심하리라고는 믿지 못했다.

몇 개월 전에는 인도, 버마, 스리랑카 등지의 각 지역에서
브라만 교도와 모하메드 교도들이 바로 이 탑 안에서 무릎을
꿇고 기도했다. 그러나 이제는 그리스도인들도 기도하고 있다.
다른 사람들은 헨리 마틴보다 더 큰 믿음을 가지고 기도했었다.

누가 기도할 수 있는가? 우리가 기도할 수 있다. 그러나 정
말 할 수 있을까? 주님께서는 처음 "지금까지는 너희가 내
이름으로 아무것도 구하지 아니하였으나 구하라 그리하면 받으
리니 너희 기쁨이 충만하리라"(요 16 : 24)고 말씀하실 때보다
지금 더 큰 연민과 관용으로 우리를 바라보고 계시지 않겠는
가?

만약 주님께서 그의 사역을 능력 있게 행하시는 데 기도를
의존하셨다면, 우리는 얼마나 더 많이 기도해야 하겠는가? 주
님도 때때로 "심한 통곡과 눈물로" 기도하셨다(히 5 : 7). 우
리는 그렇게 하고 있는가? 우리는 기도의 눈물을 흘린 적이
있는가? "우리를 소생케 하소서 우리가 주의 이름을 부르리
이다"(시 80 : 18)라고 부르짖을 수 있는가?

사도 바울이 "네 속에 있는 하나님의 은사를 다시 불일 듯
하게 하기 위하여"(딤후 1 : 6)라고 디모데에게 한 권고를 우리
모두에게도 적용시키는 것이 당연할 것이다. 왜냐하면 성령이
우리 기도를 돕는 자이기 때문이다. 우리는 우리의 진정한 필

요를 기도로 표현할 능력이 없다. 성령이 우리를 위해 이것을 하신다. 우리는 마땅히 구할 것을 구할 수 없다. 성령의 도움을 받지 않으면 자기에게 해가 되는 것을 구할 수도 있다.

성령께서 이것을 억제하실 수 있다. 연약하고 떨리는 손으로 는 감히 전능하신 능력을 움직일 수 없다. 감히 우주를 움직이시는 권능의 그 손을 내가 움직일 수 있을까? 할 수 없다. 성령이 나를 지배하기 전에는 불가능하다.

그렇다. 기도하기 위해서는 하나님의 도움이 필요하다. 그리고 우리는 이미 그 도움을 소유하고 있다. 성삼위 하나님께서는 기도를 기뻐하신다. 성부 하나님께서는 귀를 기울이시고, 성령 하나님께서는 인도하시며, 영원한 성자 하나님께서는 간구를 드리시니 자신이 중보가 되사 우리에게 응답을 가져다 주신다.

기도란 우리의 최상의 특권이며, 가장 중한 책임이고, 하나님께서 우리 손에 주신 가장 위대한 능력임에 틀림없다. 기도, 진실한 기도는 하나님의 피조물들이 할 수 있는 가장 고상하고 가장 탁월하며 가장 장엄한 행위이다.

콜러리지(Coleridge)가 말한 바와 같이 기도란 바로 인류가 가질 수 있는 최대의 능력이다. 전심 전력을 다하여 기도한다는 것은 그리스도인들의 지상 전투에 있어서 최후, 최대의 업적이다.

"주여, 우리들에게 기도를 가르치소서."

무명의 그리스도인 시리즈 1권

무릎으로 사는 그리스도인

ⓒ 생명의말씀사 1981, 1992

등록 : 1962. 1. 10. No.1-201

1981. 8. 20. 1판1쇄 발행
1992. 3. 30. 17쇄 발행
1992. 9. 20. 2판1쇄 발행
1997. 11. 25. 26쇄 발행

발행인 : 김 재 권
발행소 : 생 명 의 말 씀 사
인쇄소 : 우 림 문 화 사

110-062
서울 종로구 신문로2가 1-151

은행지로 : 3001653

본 사 TEL : (02) 738-6555
      FAX : (02) 739-3824

영업부 TEL : (02) 595-3546
      FAX : 080-022-8585

발송부 TEL : (02) 3158-6778
      FAX : (02) 3158-2362

국내직영서점

말씀사 (광화문점)
110-061 종로구 신문로1가 58-1
(구세군 회관 2층)
TEL : (02) 737-2288
FAX : (02) 737-4623

말씀사 (강남점)
137-040 서초구 잠원동 75-19
반포쇼핑타운 3동 2층 전관
TEL : (02) 595-1211
FAX : (02) 595-3548

해외직영서점

L.A.점 : WORD OF LIFE BOOKS
2717 W. Olympic Blvd.,
Los Angeles, CA., 90006
TEL : (213) 382-4538
FAX : (213) 382-1154

시카고점 : WORD OF LIFE BOOKS
3523 W. Lawrence Ave.,
Chicago,IL., 60625
TEL : (773) 509-1110
FAX : (773) 509-1679

워싱턴점 : WORD OF LIFE BOOKS
7031 Little River Turnpike #17D
Annandale, VA., 22003
TEL : (703) 256-3444
FAX : (703) 256-5515

값 3,800 원
ISBN 89-04-15045-0
ISBN 89-04-18041-4 (세트)